il grande

DIABOLIK

IL TESORO DI DIABOLIK

DIABOLIK

Ladro e gentiluomo

L'episodio che state per leggere vuole essere la risposta a un lettore che, alcuni anni fa, scrisse alla redazione ponendo un problema interessante:

"*Diabolik ruba soprattutto pietre preziose o contanti, ma talvolta anche oggetti antichi, opere d'arte, gioielli dal valore storico. Se è presumibile che in molti casi si rivolga a un ricettatore (ricordo una certa Samantha che fece poi una brutta fine) per capitalizzare il bottino, mi sembra strano e incoerente alla sua caratteristica di uomo raffinato – convivente con una donna raffinatissima – che smonti gioielli antichi per poi rivenderne pezzo per pezzo le pietre, oppure fonda statue maya d'oro per ricavarne banali lingotti. E allora che fine fanno quei preziosi bottini?*".

Una delle prime campagne sociali, disegnata da Franco Paludetti nel 1994.

Domanda stimolante che ci siamo posti a nostra volta, noi autori delle storie, e cui abbiamo tentato di dare soddisfazione in questo albo. Ma quella lettera merita altre riflessioni, perché ha origine da una visione del nostro personaggio apparentemente anomala ma condivisa dalla maggior parte dei lettori: Diabolik, pur essendo un ladro e un assassino, è percepito come una figura "nobile", eticamente corretta, sensibile ai valori – non soltanto economici, come potrebbe apparire a un'analisi superficiale – dell'arte e della cultura.

Proprio questa percezione, diffusa anche tra moltissimi "non lettori", fa sì che il Re del Terrore venga spesso richiesto come testimonial di campagne sociali. Un apparente assur-

Una copertina di Sergio Zaniboni riutilizzata per una campagna a sostegno della sicurezza stradale.

Nella pagina accanto, Eva "raffinatissima" in un disegno di Enzo Facciolo.

Campagna antidoping apparsa sull'albo *Una partita per la vita*, n. 2 del 2000.

Poster contro le "stragi del sabato sera" del 1998.

do: come può un personaggio dichiaratamente "fuorilegge" farsi portatore di messaggi etici? Eppure l'ha fatto in diverse occasioni su diversi argomenti, e con grande successo.

La spiegazione sta forse nel fatto che le sorelle Giussani non si limitarono a creare il Re del Terrore: anno dopo anno ne modellarono il carattere, la psicologia, la "logika" comportamentale rendendolo "vivo e vero": un personaggio così diventa "persona" e come tale può, addirittura deve, comportarsi eticamente come uno di noi, rispettare certi principi, prendere posizione sui problemi sociali. Il fatto che sia anche un criminale – sia pure sui generis – passa, in questi casi, in secondo piano.

Mario Gomboli

IL GIALLO A FUMETTI

DIABOLIK

di A. e L. GIUSSANI

IL TESORO DI DIABOLIK

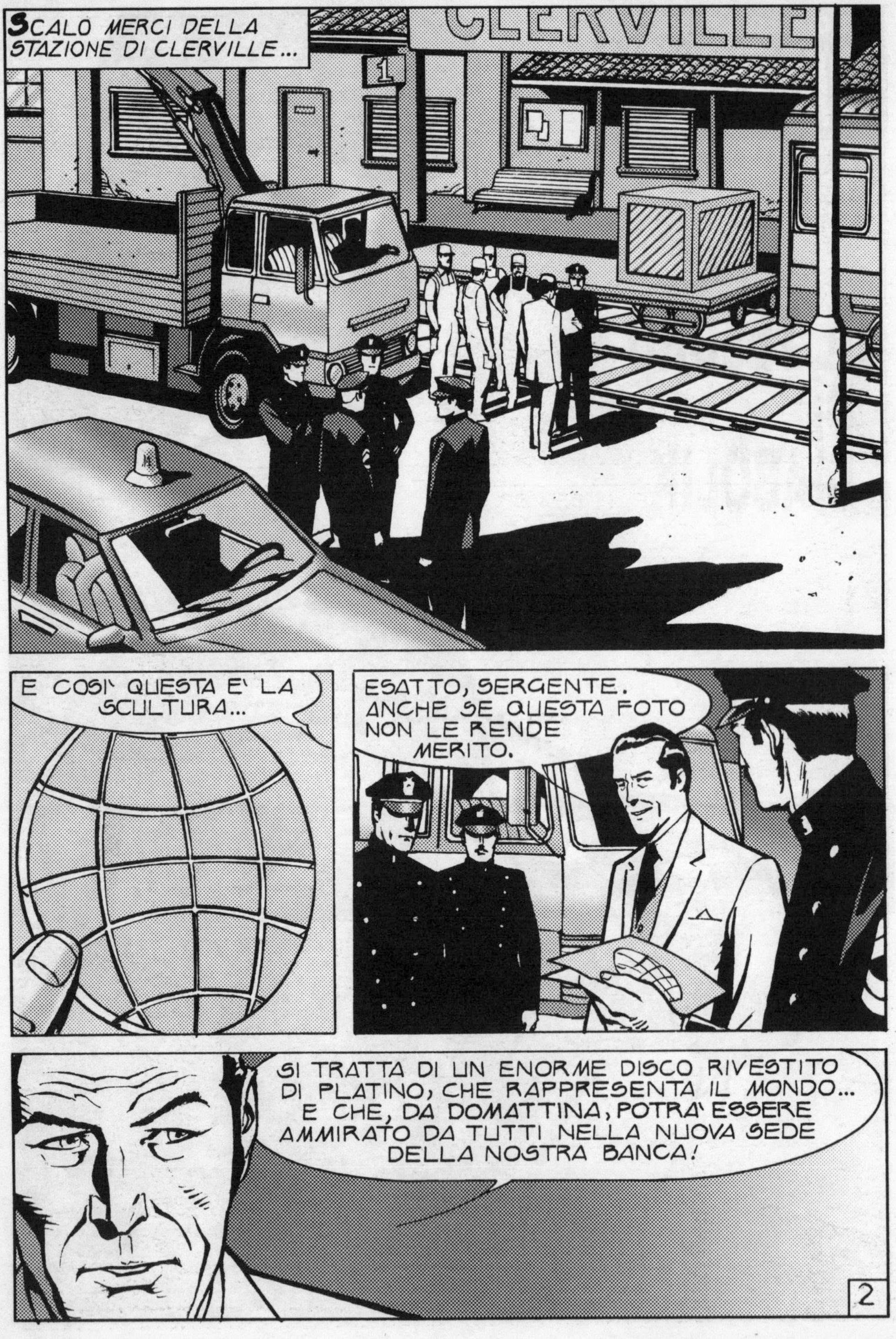

SCALO MERCI DELLA STAZIONE DI CLERVILLE...

CLERVILLE

CI SPIACE COSTRINGERVI A LAVORARE A QUEST'ORA. MA DI GIORNO NON ERA POSSIBILE FARE CHIUDERE LE STRADE DEL CENTRO PER UN TRASPORTO ECCEZIONALE...
NESSUN PROBLEMA. IO E I MIEI COLLEGHI ERAVAMO GIA' DI TURNO STANOTTE.

COMUNQUE MI SEMBRA IMPROBABILE CHE QUALCUNO CERCHI DI RUBARE UN OGGETTO TANTO INGOMBRANTE, PER QUANTO PREZIOSO!
SI', AVETE RAGIONE.

STA ARRIVANDO!

TU-TUM TU-TUM TU-TUM
3

FORZA, AL LAVORO! TUTTI AI PROPRI POSTI!

ORA L'AUTOGRU' SOLLEVERA' LA SCULTURA E LA SPOSTERA' SUL PROPRIO PIANALE. POI POTREMO PARTIRE PER LA SEDE DELLA BANCA.
BENE...

4

CI SIAMO!

TLACK

OKAY! TIRALA SU!

5

MA COSA...

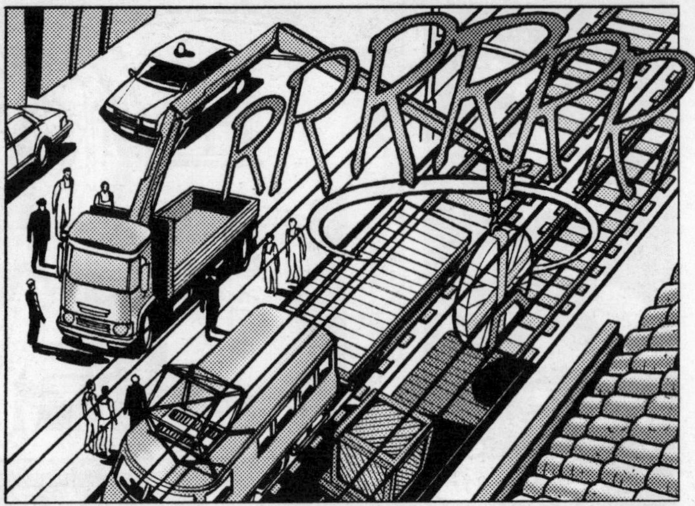
RRRRRRRRRR

TUM

CHE DIAMINE SUCCEDE?! LA STATUA **NON** ANDAVA MESSA LI'!
MI DISPIACE! NON RIESCO A CAPIRE...
6

EHI, TU! SEI IMPAZZITO?!
QUALCOSA NEI COMANDI NON HA FUNZIONATO!

VADO SUBITO A CONTROL-LARE CHE IL CARICO NON ABBIA SUBITO DANNI!
D'ACCORDO, SBRIGATI!

NON PREOCCUPATEVI. RISOLVEREMO TUTTO.
SARA' MEGLIO PER VOI!

TLACK
ADESSO!
7

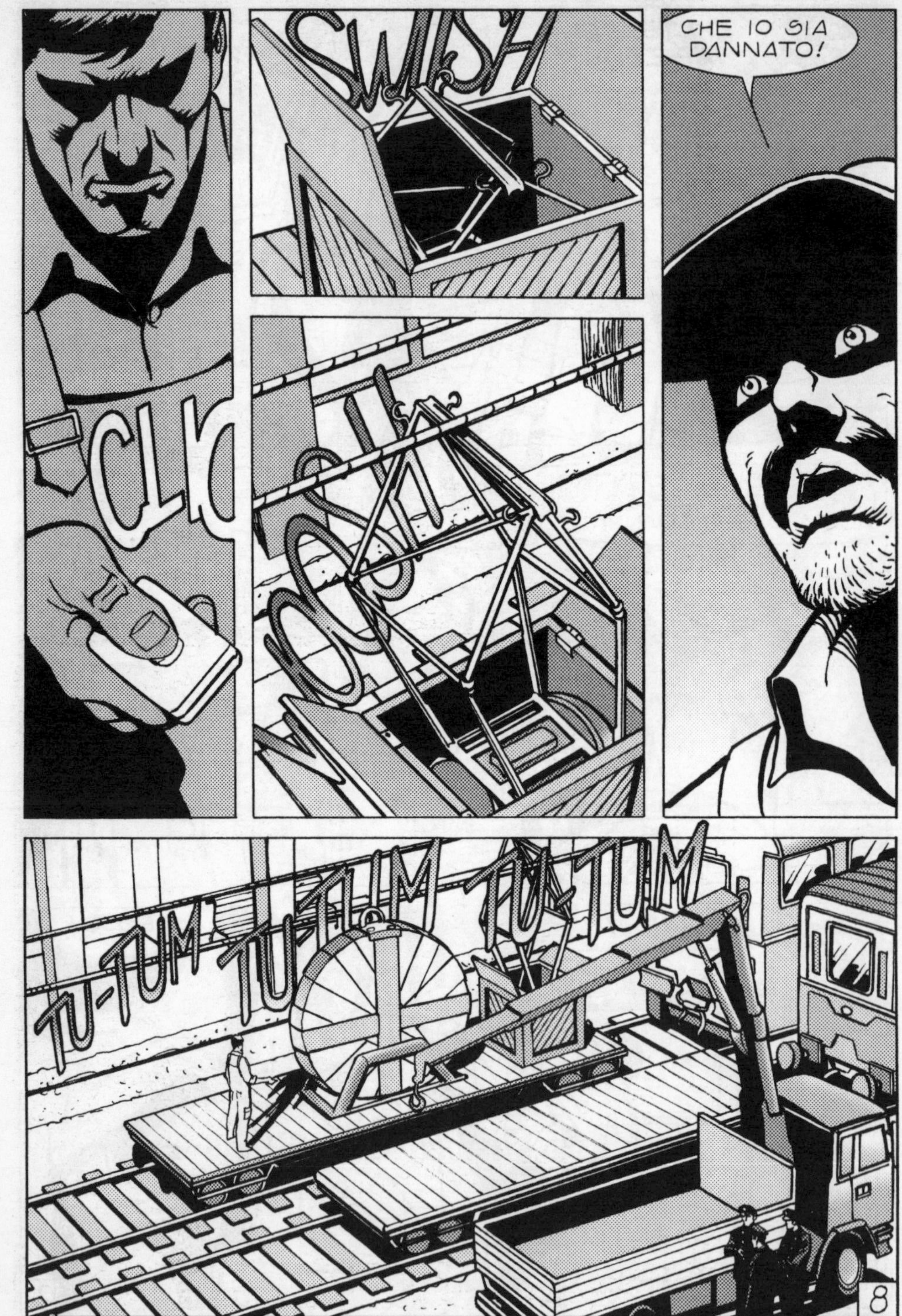
CLIC
SWISH
CHE IO SIA DANNATO!
TU-TUM TU-TUM TU-TUM
8

LA SCULTURA! QUEL MALEDETTO STA PORTANDOLA VIA!
IMPOSSIBILE! LO CONOSCO BENE... E' UN TIPO A POSTO!

MA NON LO AVETE ANCORA CAPITO?! QUELLO DEVE ESSERE DIABOLIK!

BANG

ZIIIP
ZIIIP

ALLE AUTO, SVELTI!
SI', SIGNORE!
9

SKREEE

SONO PIU' VELOCI DI ME! MA NON POTRANNO INSEGUIRMI A LUNGO!

NO! DANNAZIONE!
10

E ADESSO? ABBIAMO PERSO IL CONTATTO VISIVO!
PRESTO! AVVERTI LA CENTRALE!

TUTTE LE AUTO DISPONIBILI DEVONO PORTARSI IN ZONA!
SI', CERTO!
11

POCO PIU' TARDI...
CHE COSA C'E', TESORO?

PERCHE' CONTINUI A GUARDARE FUORI DALLA FINESTRA?
VIENI A VEDERE ANCHE TU!

STA SUCCEDENDO QUALCOSA DI STRANO, A QUEL PASSAGGIO A LIVELLO...

QUALCOSA DI **MOLTO** STRANO!
RRRRRRR
12

TUMP

BENE, POSSO RIPARTIRE. MA NON E' ANCORA FINITA.

E' PROBABILE CHE QUALCUNO ABBIA VISTO LA SCENA, DAI PALAZZI QUI ATTORNO, E STIA AVVERTENDO LA POLIZIA...
UN'EVENIENZA A CUI MI SONO PREPARATO...

WROOOMMM
13

E COSI'...
RALLENTARE
WROOM

SE LA POLIZIA SA CHE HO PRESO QUESTA STRADA, AVRA' GIA' MANDATO DELLE AUTOPATTUGLIE A INSEGUIRMI...

E ALTRE ANCORA SARANNO PIU' AVANTI, DOPO LA GALLERIA, PER PRECEDERMI E SBARRARMI IL CAMMINO.

CIO' SIGNIFICA CHE MI RESTANO POCHI MINUTI, PER SFUGGIRE ALLA LORO TRAPPOLA. MA MI BASTERANNO.
WROOM
14

WROOM

SKREEE

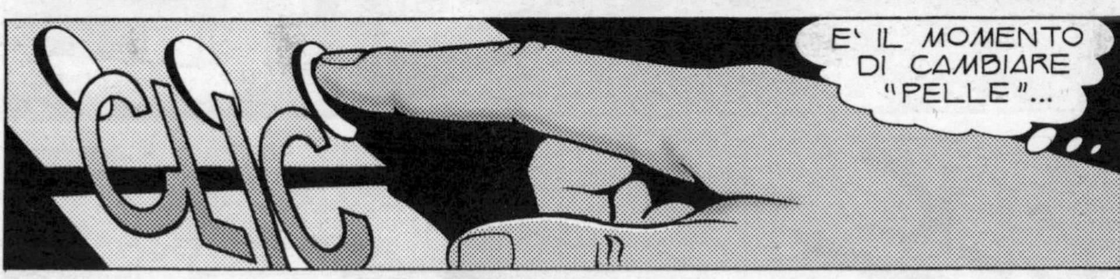
CLIC
E' IL MOMENTO DI CAMBIARE "PELLE"...

WOOSH
15

WROOOM
TUMP
CLIC
WROOOMM
16

VROOOM

TUTTO COME PREVISTO. LA POLIZIA NON HA BADATO A QUELLO CHE, DALL'ESTERNO, SEMBRA SOLO UN INNOCUO AUTOBUS TURISTICO...
17

... MENTRE, IN REALTA', FINESTRINI E PARABREZZA SONO SCHERMI A CRISTALLI LIQUIDI.

NON AVEVO SPAZIO, PER GIRARMI CON UN MEZZO TANTO LUNGO. MA GRAZIE AL CAMBIO MODIFICATO RIESCO A PROCEDERE IN RETROMARCIA, SENZA IMBALLARE IL MOTORE.

E QUESTO MONITOR, COLLEGATO A UNA TELECAMERA POSTA DAVANTI, MI CONSENTE DI VEDERE LA STRADA.

ORA POTRO' LASCIARE LA ZONA INDISTURBATO... MENTRE LA POLIZIA CONTINUERA' A CERCARE UN'AUTOGRU' CON LA SCULTURA RUBATA.

E PRESTO FARO' L'ULTIMO CAMBIO DI VEICOLO, PER QUESTA NOTTE...
18

IN SEGUITO...
SI', AMORE. E' ANDATO TUTTO COME PREVISTO.
WROOOM

ADESSO STO PORTANDO LA SCULTURA DIRETTAMENTE IN UN NASCONDIGLIO SICURO...

TI CONVIENE ANDARE A LETTO. TORNERO' MOLTO TARDI... E NON HAI RAGIONE DI PREOCCUPARTI.
D'ACCORDO, AMORE. BUONANOTTE.

BUONANOTTE ANCHE A TE...

BENE. COME AVVIENE SEMPRE IN CASI COME QUESTO EVA NON HA FATTO DOMANDE RIGUARDO AL "NASCONDIGLIO"...
19

WROO

IN TEORIA, QUEL PONTE NON SAREBBE IN GRADO DI SOSTENERE IL PESO DI UN CAMION. MA IO NON CORRO ALCUN PERICOLO.

WROO

TRA POCHI CHILOMETRI RAGGIUNGERO' IL RIFUGIO DELLA VALLE DEL CORVO! UN LUOGO DI CUI NON HO MAI PARLATO A NESSUNO, IN NESSUNA CIRCOSTANZA...

E' UNO DEI MIEI PIU' GRANDI SEGRETI!
20

E COSI', POCO PIU' TARDI...
WROOOM

PRIMA DI VARCARE LA SOGLIA DELLA GALLERIA, HO DOVUTO DISATTIVARE L'ALLARME ANTI-INTRUSIONE...

...MA E' ORA CHE ARRIVA LA PARTE PIU' IMPORTANTE E DELICATA. IL MINIMO ERRORE NELLA PROCEDURA SAREBBE FATALE, PERFINO PER ME.

SKREE
21

SWIISH
CLAC
1 2 3
4 5 6
7 8 9
C 0 ✓

TAP
TAP
TAP
TAP

WOOO SH
22

23

IL MIO... MUSEO...
24

OGNI VOLTA PROVO QUESTA SENSAZIONE COSI' STRANA, PER ME. E COSI' IMPORTANTE.

UNA SENSAZIONE DI PACE...

NELLA MIA VITA HO RUBATO COSI' TANTE COSE... GIOIELLI, DIAMANTI, FIUMI DI DENARO... VINCENDO SFIDE SEMPRE PIU' GRANDI!

MA QUELLE CHE HO RACCOL-TO QUI DENTRO SONO LE UNI-CHE COSE A CUI DO DAVVERO UN VALORE. E CHE RESTERANNO SEMPRE MIE... SOLTANTO MIE.
25

DI CERTO, EVA IMMAGINA L'ESISTENZA DI QUESTO RIFUGIO, ANCHE SE IGNORA DOVE SIA...

MA HA SEMPRE CAPITO E RISPETTATO IL MIO BISOGNO DI NON CONDIVIDERE IL SEGRETO CON NESSUNO! E CIO' ME LA FA AMARE ANCORA DI PIU'...

HO SCOPERTO QUESTA MINIERA IN DISUSO PRIMA DI CONOSCERE LEI, QUANDO ERO APPENA ARRIVATO A CLERVILLE... E L'HO ADATTATA ALLE MIE ESIGENZE.

E' DIVENTATA IL MIO MUSEO, CHE CONTINUA A CRESCERE...

BENE, ADESSO DEVO OCCUPARMI DELLA NUOVA SCULTURA. HO GIA' IN MENTE DOVE SISTEMARLA.
26

E COSI'...

WROOM

WROOOM

WROOOM...
27

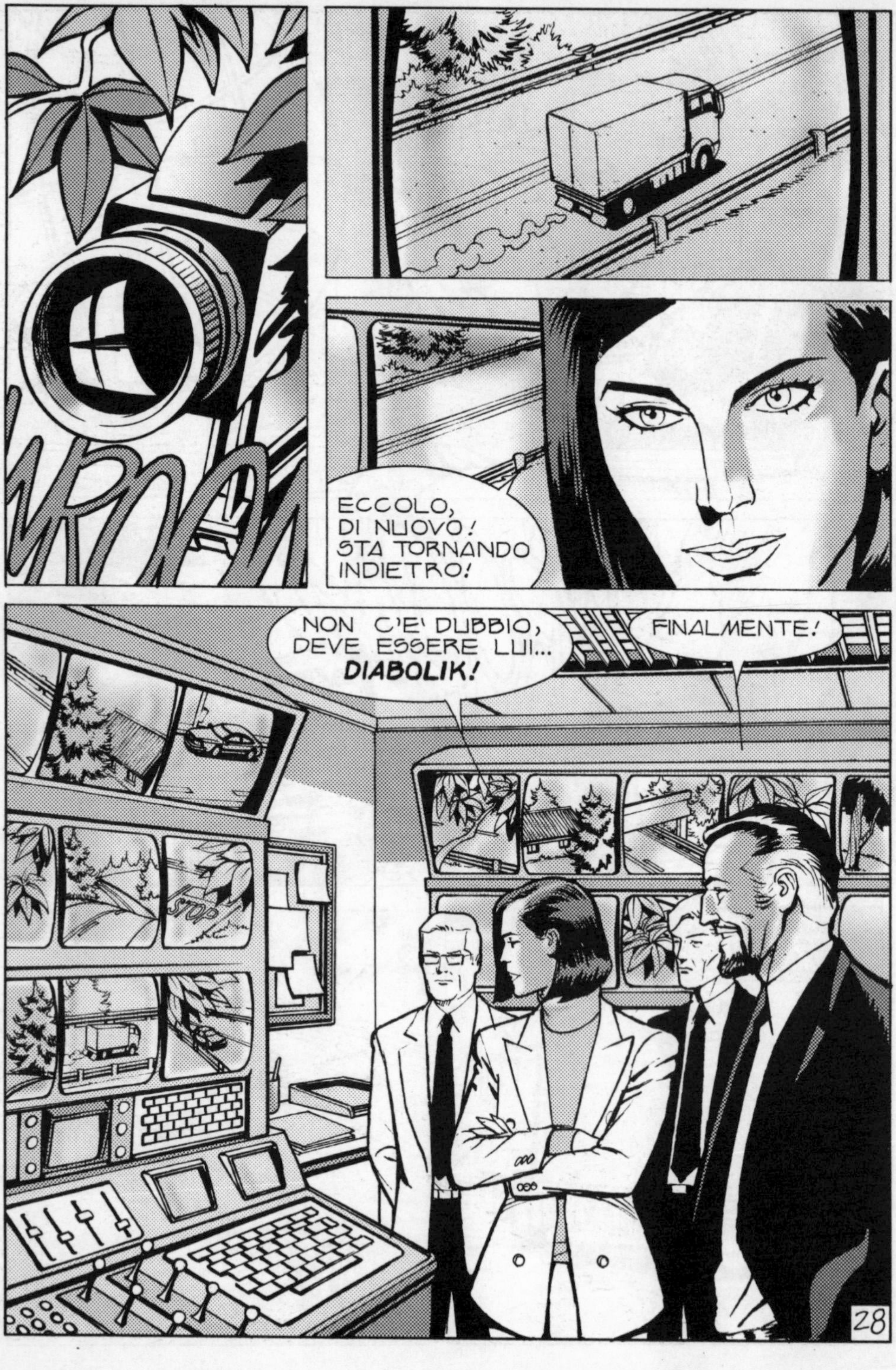

ECCOLO, DI NUOVO! STA TORNANDO INDIETRO!

NON C'E' DUBBIO, DEVE ESSERE LUI... **DIABOLIK!**
FINALMENTE!

E' ANDATO A SISTEMARE IL NUOVO "ACQUISTO" NELLA SUA COLLEZIONE. E ADESSO STARA' RIENTRANDO AL RIFUGIO, TRANQUILLO E SODDISFATTO.
SI', DANIELA, SONO D'ACCORDO.

I TEMPI CORRISPONDONO... COSI' COME IL VEICOLO. QUEL CAMION E' DI DIMENSIONI ADEGUATE.

COME AVEVAMO IPOTIZZATO... E SPERATO... DIABOLIK HA DECISO DI RUBARE LA STATUA STANOTTE, DURANTE IL TRASPORTO, SEGUENDO IL SUO TIPICO *MODUS OPERANDI*...
E NOI NE ABBIAMO AVUTO NOTIZIA GRAZIE ALLE NOSTRE INTERCETTAZIONI RADIO SULLE FREQUENZE DELLA POLIZIA.

PER LA VERITA', HANNO DETTO CHE LUI SI E' SERVITO DI UN'AUTOGRU' PER FUGGIRE...
MA APPENA POSSIBILE DEVE AVERE CAMBIATO MEZZO, SIGNOR RADEN. UNA DECISIONE LOGICA.
29

IN OGNI CASO, E' PIUTTOSTO RARO CHE UN CAMION ATTRAVERSI LA VALLE DEL CORVO. UNA LOCALITA' DESERTA, SOPRATTUTTO DI NOTTE.
EHI, GUARDATE!

STA PASSANDO UN'ALTRA VOLTA SU QUEL PONTE SENZA NEMMENO RALLENTARE!

OVVIO. DIABOLIK SA BENISSIMO CHE, IN REALTA', LA STRUTTURA HA UN RINFORZO IN ACCIAIO, INVISIBILE DALL'ESTERNO... UN LAVORO CHE PORTA LA SUA FIRMA.

E NOI NON CE NE SAREMMO MAI ACCORTI, SENZA IL NOSTRO GENIALE PROFESSOR SANDRO LOVEL... E I SUOI SOFISTICATI SISTEMI DI RILEVAMENTO!

ERA UN'ULTERIORE PROVA CHE IL LUOGO CHE CERCHIAMO SI TROVA DA QUELLE PARTI! E ADESSO ABBIAMO AVUTO LA CONFERMA CHE ASPETTAVAMO!
GIA'... MA DOVE SARA' DI PRECISO?!
30

IO AVREI UNA IPOTESI, BASATA SUL PERCORSO CHE ABBIAMO VISTO FARE AL CAMION...

VEDIAMO.

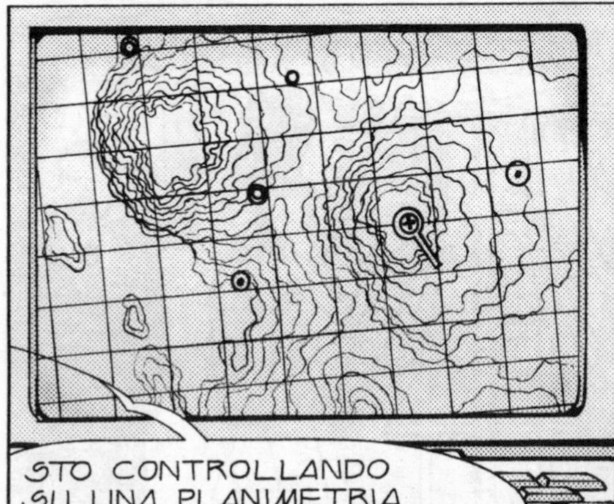
STO CONTROLLANDO SU UNA PLANIMETRIA DETTAGLIATA DELLA ZONA...

MA SI', CERTO! QUELLA VEC_ CHIA MINIERA... DEVE ESSERE LI'!

AMICI, A QUANTO PARE IL MOMENTO CHE TUTTI ATTENDIAMO STA AVVICINANDOSI!

IL MOMENTO DELLA VENDETTA...
31

UNA RIPRODUZIONE PIUTTOSTO FEDELE. SALVO PER LE DIMENSIONI E IL VALORE, NATURALMENTE.

DOTTORESSA ODIL, CON TUTTO IL RISPETTO PER LA VOSTRA FAMA DI ESPERTA D'ARTE ANTICA, SPERO CHE NON ABBIATE CHIESTO QUESTO APPUNTAMENTO SOLO PER AMMIRARE I MIEI ARREDI!
NO, SIGNOR RADEN. HO UN MOTIVO PIU' SERIO.

ALLORA SBRIGATEVI A SPIEGARE! IO SONO UNA PERSONA PARECCHIO IMPEGNATA! **IL MIO TEMPO E' PREZIOSO!**

BE', SE ACCETTERETE LA MIA PROPOSTA CREDO CHE DOVRETE UTILIZZARNE MOLTO, DI TEMPO. E ANCHE DI DENARO.
COSA?
32

SO CHE NON AVETE MAI DIMENTICATO CIO' CHE VI E' STATO TOLTO DA DIABOLIK...E VOI DESIDERATE VENDICARVI. IL CHE CI RENDE SIMILI.

AL MOMENTO DEL FURTO, LA STATUA NON ERA ASSICURATA...E NON AVEVATE ANCORA FINITO DI PAGARLA. QUESTO E' STATO L'INIZIO DI UN DRAMMATICO TRACOLLO ECONOMICO.

SIETE STATO A UN PASSO DALLA GALERA... VOSTRA MOGLIE VI HA LASCIATO. SEMBRAVATE UN UOMO FINITO. E RISOLLEVARVI VI E' COSTATO UN GIGANTESCO SFORZO...
MA ALLA FINE CE L'HO FATTA, MALEDIZIONE! ANCHE SE NON SARA' MAI COME PRIMA...

IO CREDO CHE POSSIAMO AIUTARCI A VICENDA, PER COLPIRE IL NOSTRO COMUNE NEMICO NEL SUO PUNTO DEBOLE! DOVE GLI FAREMO DAVVERO MALE!
MMM...DISCORSO INTERESSANTE.

VI CONCEDO ALTRI DIECI MINUTI. PREGO, ACCOMODATEVI...
GRAZIE. MOLTO GENTILE.
33

E POCO DOPO...
FATEMI CAPIRE, DOTTORESSA ODIL! VOI SOSTENETE CHE ESISTA UNA SPECIE DI... DEPOSITO DI TUTTA LA SUA REFURTIVA PIU' PREZIOSA?!

NON LA PIU' PREZIOSA IN SENSO ECONOMICO, SIGNOR RADEN. PIUTTOSTO, QUELLA CHE APPAGA MAGGIORMENTE IL GUSTO ESTETICO DI DIABOLIK.

ORA PARLATE DI QUEL CRIMINALE COME SE FOSSE UN VOSTRO COLLEGA...
BE', DI CERTO ANCHE LUI E' UN INTENDITORE.

HO STUDIATO A FONDO IL SUO CARATTERE, LA SUA PSICOLOGIA... LE SUE SCELTE. CHIEDENDOMI CHE DESTINO AVESSERO AVUTO TALUNI OGGETTI, DOPO ESSERE STATI RUBATI.

PER QUANTO LUI SIA UN LADRO E UN ASSASSINO, NON LO RITENGO UN "INCIVILE". NON SMONTEREBBE MAI UN BELLISSIMO E ANTICO MONILE PER PRENDERNE LE PIETRE ...

... E NON FONDEREBBE MAI UNA MAGNIFICA STATUA D'ORO, SOLO PER RICAVARNE LINGOTTI!
34

VEDETE, SIGNOR RADEN, NEGLI ANNI HO NOTATO COME CERTI PARTICOLARI OGGETTI FINITI NELLE SUE MANI **NON** SIANO MAI STATI RINTRACCIATI...

...NEMMENO IN MEZZO AD ALTRA REFURTIVA RECUPERATA DALLA POLIZIA E, IN ORIGINE, APPARTENENTE A UNO STESSO "LOTTO"!

PER ESEMPIO, DENTRO IL CAVEAU DI UN RIFUGIO VIENE TROVATA L'INTERA COLLEZIONE D'ARTE SOTTRATTA DA DIABOLIK A UN CERTO CONTE... MENO **UNA** SCULTURA!

OPPURE, QUALCHE TEMPO DOPO ESSERE STATA RUBATA, TUTTA UNA PARTITA DI GIOIELLI FINISCE SUL MERCATO NERO... MENO **UN** RARISSIMO E RAFFINATISSIMO PEZZO!
CERTO, CAPISCO.

POI CI SONO STATI I FURTI DI OGGETTI MOLTO GROSSI E PESANTI, ANCHE QUESTI MAI RIAPPARSI... COSTATI A DIABOLIK UN DISPENDIO DI FORZE E MEZZI CHE PARE ECCESSIVO.
35

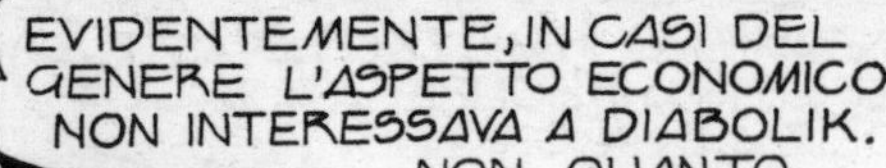
EVIDENTEMENTE, IN CASI DEL GENERE L'ASPETTO ECONOMICO NON INTERESSAVA A DIABOLIK. NON QUANTO QUELLO ESTETICO.

E SECONDO VOI TUTTI QUESTI PEZZI, COSI' PREGIATI E PARTICOLARI, SAREBBERO FINITI IN UNO STESSO LUOGO...
ESATTO. ORMAI NE SONO CONVINTA.

DITEMI, SIETE GIA' ANDATA A ESPORRE LA VOSTRA IPOTESI ALLA POLIZIA?

NO, NON L'HO FATTO. NON E' IL TIPO DI AIUTO CHE CERCO.

IO CERCO L'AIUTO DI UN UOMO RICCO, POTENTE E, A QUANTO SI DICE, DISPOSTO A MUOVERSI ANCHE OLTRE I CONFINI DELLA LEGGE...

QUELL'UOMO SIETE VOI, SIGNOR RADEN! INSIEME, OTTERREMO LA NOSTRA **VENDETTA!**

UNA PROPOSTA INTERESSANTE, DOTTORESSA ODIL... O POSSO CHIAMARVI DANIELA?
36

E IL GIORNO SEGUENTE...

TUM

VUOI CHE
ANDIAMO AVANTI, AMICO?
PER ME NON E' UN PROBLEMA.

NO...
BASTA!
BASTA
COSI'!

DI' AI FRATELLI GOMEZ
CHE RIAVRANNO LA
LORO MERCE! GLIELA
RIPORTERO' TUTTA!
EHI! MI HAI
FORSE PRESO
PER UNO
STUPIDO?!

ADESSO
TU MI
MOSTRERAI
DOVE
HAI NASCOSTO
QUELLE CASSE!
E POI SARO'
IO A PORTARLE
AI MIEI CLIENTI!
38

E RITIENITI FORTUNATO, PERCHE' NON CONSEGNERO' ANCHE TE A LORO! COSI' AVRAI LA POSSIBILITA' DI SPARIRE E CONTINUARE A VIVERE!
OKAY, HO CAPITO... GRAZIE.
MA COME ACCIDENTI HAI FATTO? COME HAI SCOPERTO CHE ERO STATO IO A RUBARE LE CASSE CHE MANCAVANO?
SEGRETI DEL MESTIERE.
IL CELLULARE...
BREEP
39

FERMO, IDIOTA!
AL DIAVOLO!
SWISH
AH!
TUMC
40

PRONTO?
BUONGIORNO, SIGNOR RADEN. E' SEMPRE UN PIACERE SENTIRVI.
D'ACCORDO, VERRO' DA VOI APPENA POSSIBILE. GIUSTO IL TEMPO DI FINIRE UN LAVORETTO PER DEGLI ALTRI CLIENTI...
41

UNA SETTIMANA DOPO...
CARA DANIELA, PERMETTIMI DI PRESENTARTI DUE VALIDI COLLABORATORI, CHE IN QUESTI GIORNI HANNO COMINCIATO A LAVORARE INSIEME, BASANDOSI SULLA TUA IPOTESI.

ENTRAMBI, COME NOI, HANNO UN CONTO APERTO CON DIABOLIK. ED E' STATO IL PRIMO MOTIVO PER IL QUALE LI HO SCELTI. IL PRIMO, MA NON L'UNICO.

SANDRO LOVEL E' UNO SCIENZIATO DALLA MENTE GENIALE, CON COMPETENZE NEL CAMPO DELLA FISICA, DELL'ELETTRONICA E DELL'INGEGNERIA... FRA LE ALTRE COSE.

MICHELE ESTON E' UN INVESTIGATORE PRIVATO... ED EX POLIZIOTTO... DEI CUI SERVIGI MI SONO GIA' AVVALSO IN PASSATO, CON SODDISFAZIONE. UN OTTIMO PROFESSIONISTA.

ED E' PROPRIO A LUI CHE CEDO SUBITO LA PAROLA! AVANTI, MICHELE, SPIEGACI A CHE CONCLUSIONE SEI ARRIVATO!
VOLENTIERI, SIGNOR RADEN...
MI SONO CONCENTRATO SUI COLPI DURANTE I QUALI DIABOLIK HA RUBATO OGGETTI DI PESO E DIMENSIONI NOTEVOLI. DUNQUE MOLTO SCOMODI DA SPOSTARE.
A MIO PARERE, LUI PORTA QUESTO GENERE DI REFURTIVA DIRETTAMEN_TE NEL LUOGO CHE STIA_MO CERCANDO. SENZA TAPPE INTERMEDIE.
SI'... E' LOGICO!
HO QUINDI ANALIZZATO UNA MEZZA DOZZINA DI CASI CON TALI CARATTERISTICHE, BASANDOMI SULLE TESTIMONIANZE DI CHI AVEVA CERCATO DI INSEGUIRE QUEL MALEDETTO...
43

ORA, SE INDICHIAMO CON DELLE FRECCE LE DIREZIONI PRESE DA DIABOLIK DURANTE TALI FUGHE, VEDIAMO CHE CONVERGONO QUI...

IN CORRISPONDENZA DELLA VALLE DEL CORVO, UNA LOCALITA' IMPERVIA E ISOLATA A NORD DI CLERVILLE!

MA LA POLIZIA NON SI E' MAI RESA CONTO DI QUESTA COINCIDENZA?
NO, LO ESCLUDO.

VEDETE, PER VIA DEL MIO LAVORO IO MI TROVO A FRE_QUENTARE ANCHE CERTI AMBIEN_TI IN CUI GLI SBIRRI NON SONO GRADITI.

E CIO' MI HA DATO MODO DI ACCEDERE A INFORMAZIONI MOLTO RISERVATE. DI QUELLE CHE NON FINISCONO NEI DOSSIER DELLE FORZE DELL'ORDINE.
44

SOLTANTO DUE COLPI DI QUELLA MEZZA DOZZINA DI FURTI SONO STATI DENUNCIATI. NEGLI ALTRI CASI, LE VITTIME HANNO PREFERITO EVITARE CONTATTI CON LA POLIZIA.
CERTO, HO CAPITO.

PERCIO', SE CERCHIAMO IN QUESTA VALLE, TROVEREMO I TESORI RUBATI!
PURTROPPO NON SARA' COSI' SEMPLICE, DANIELA...

LA LOCALITA' E' TROPPO VASTA E PIENA DI POSSIBILI NASCONDIGLI. BISOGNA RESTRINGERE ULTERIORMENTE IL CAMPO.

MA IL PROFESSOR LOVEL HA GIA' AVUTO UN'IDEA SU COME PROCEDERE, VERO?
SI', ORA VI SPIEGO...

INNANZITUTTO FAREMO UN SOPRALLUOGO, PER INDIVIDUARE PUNTI STRATEGICI IN CUI PIAZZEREMO DELLE TELECAMERE. PER ESEMPIO, DOVRA' ESSERCENE UNA A OGNI INCROCIO...
45

TALI TELECAMERE TRASMETTERANNO LE IMMAGINI IN UNA CENTRALE DI MONITORAGGIO CHE ALLESTIREMO PROPRIO IN QUESTA SALA...

OGNI QUAL VOLTA AVREMO IL FONDATO SOSPETTO CHE DIABOLIK STIA PER RUBARE UN OGGETTO DEGNO DI ENTRARE NELLA SUA "COLLEZIONE SPECIALE", CI RIUNIREMO TUTTI QUI.

E STAREMO IN ATTESA, CON MOLTA PAZIENZA...
GIA'. COME UN RAGNO AL CENTRO DELLA TELA.

POTREBBERO VOLERCI MESI, ANNI... NON HA IMPORTANZA! ALLA FINE LA NOSTRA PREDA FINIRA' NELLA TRAPPOLA!

SIGNOR RADEN,
PER ME NON CI
SONO PIU' DUBBI...

HO SVOLTO UN ULTERIORE CONTROL-
LO. QUELLA MINIERA E' NELL'AREA
CHE ABBIAMO INDIVIDUATO
E HA TUTTE LE
CARATTERISTI-
CHE GIUSTE.
BENE.
MOLTO BENE.

E ADESSO?
CHE COSA
FACCIAMO?
INUTILE PERDERE
TEMPO, DANIELA...

ANDREMO LI' DOMANI STESSO, CON
LE ATTREZZATURE NECESSARIE! E,
SE SAREMO FORTUNATI, SCRIVEREMO
L'ULTIMO CAPITOLO DI QUESTA
LUNGA STORIA!
47

PIU' TARDI...
WROOM

FINALMENTE, AMORE!

TI AVEVO DETTO DI NON ASPETTARMI, EVA.
MA NON RIUSCIVO A PRENDERE SONNO...

VEDI, NON SONO PIU' ABITUATA A **NON** ESSERE AL TUO FIANCO, DURANTE UN COLPO. ANCHE SE UNA VOLTA ERA LA REGOLA.
48

PER METTERE IN ATTO IL PIANO CHE AVEVO PROGETTATO, NON C'ERA RAGIONE DI ESPORTI A UN RISCHIO INUTILE.
CHIARO, L'HO CAPITO.

TUTTO A POSTO CON QUELLA SCULTURA, ALLORA?
SI', TUTTO A POSTO. E' AL SICURO.

E ADESSO STO GIA' PENSANDO AL PROSSIMO COLPO, CHE FAREMO INSIEME...

49

INTANTO...

FLUUSH

MICHELE, CIAO!
50

* Vedi "Omicidio alla polizia" - Diabolik n. 17 del 1966

MORTO!

LA CASSAFORTE...
ORA DEVO
APRIRLA...

E POI DEVO PRENDERE I DIAMANTI...
PERCHE' **LUI** ME LO HA ORDINATO...
52

NO...
NOOO...

MALEDETTO DIABOLIK!

CRASH

LA COLPA E' TUTTA SUA, SE MI SONO RIDOTTO COSI'!

NON IMPORTA SE AL PROCESSO MI HANNO ASSOLTO PERCHE' IN QUEL MOMENTO NON ERO IN POSSESSO DELLE MIE FACOLTA' MENTALI, MA SOTTO CONDIZIONAMENTO IPNOTICO...

IO HO UCCISO UN COLLEGA... UN AMICO! L'HO STRAN_GOLATO CON LE MIE MANI! NULLA POTRA' MAI CAN_CELLARE QUESTA REALTA'!
53

"NON POTEVO PIU' SOPPORTARE GLI SGUARDI DEGLI ALTRI POLIZIOTTI, AL DISTRETTO... E IL MODO CON CUI MI EVITAVANO. ALLA FINE, SONO DOVUTO ANDARMENE!"

COME INVESTIGATORE PRIVATO HO ACCETTATO LAVORI SEMPRE PIU' SPORCHI, PER CLIENTI CHE UN TEMPO AVREI SOLTANTO VOLUTO SBATTERE IN GALERA.

HO FATTO COSE TERRIBILI, PERCHE' ORMAI SENTIVO CHE ERO FINITO!

MA ADESSO, SE RIUSCIRO' A VENDICARMI... PUNENDO DIABOLIK, IL COLPEVOLE DI TUTTO... FORSE TROVERO' LA PACE! E AVRO' LA FORZA DI TORNARE L'UOMO CHE ERO!
54

IL GIORNO DOPO...
VOI ASPETTATE QUI, ALLORA. VADO AVANTI IO.
D'ACCORDO. SBRIGATEVI.

BEEEEE

C'E' QUALCHE PROBLEMA?
SI'. MA ME L'ASPETTAVO.

HO APPENA RILEVATO LA PRESENZA DI APPARECCHIATURE ELETTRONICHE, APPENA FUORI DALL'INGRESSO DELLA MINIERA.

NELLA ROCCIA DEVE ESSERE NASCOSTO UN SISTEMA DI ALLARME, PREDISPOSTO PER INVIARE UN SEGNALE A DIABOLIK. NE SONO PRATICAMENTE CERTO.
PER LA MISERIA!

SE PROVIAMO A VARCARE QUELLA SOGLIA, LUI SAPRA' CHE C'E' STATA UNA INTRUSIONE. E VERRA' QUI A CONTROLLARE.
56

BE', C'E' UN ASPETTO POSITIVO NELLA FACCENDA. LA PRESENZA DI UN ALLARME E' LA CONFERMA CHE SIAMO ARRIVATI PROPRIO NEL POSTO CHE CERCAVAMO.
SI', MICHELE, HAI RAGIONE. MA ORA RISCHIAMO DI FARCI SCOPRIRE...

NON E' DETTO, DANIELA. ANZI, IO CREDO CHE POSSIAMO VOLGERE LA SITUAZIONE A NOSTRO VANTAGGIO.

INNANZITUTTO, POSSIAMO ESCLUDERE CHE IL SISTEMA TRASMETTA ANCHE IMMAGINI, OLTRE A UN ALLARME SONORO.

PER DIABOLIK, INFATTI, DEVE ESSERE MOLTO IMPORTANTE CHE L'ESISTENZA DI QUESTO DEPOSITO RESTI UN SEGRETO...
57

EBBENE, PERIODICAMENTE CAPITA CHE LA POLIZIA RIESCA A INDIVIDUARE ED ESPUGNARE UNO DEI SUOI RIFUGI...

...E, SE ESISTESSE UN COLLEGAMENTO VIDEO CON QUESTO LUOGO, LA SE_ GRETEZZA RISCHIEREBBE DI ESSERE COMPROMESSA!
CHIARO, IL RAGIONAMENTO FILA.

PERO' NOI CHE VANTAGGIO NE ABBIAMO?
E' SEMPLICE, MICHELE...

DAL MOMENTO IN CUI AVREMO FATTO SCATTARE L'ALLARME, DIABOLIK SAPRA' CHE C'E' STATA UN'INTRUSIONE...MA NON POTRA' SCOPRIRE DI PIU', FINCHE' NON ARRIVERA' QUI!
58

E CIO' CI DARA' UN LASSO DI TEMPO PER PREPARARE IL TERRENO, SENZA CHE LUI POSSA SAPERE.

HO IN MENTE UN PIANO CHE CI CONSENTIRA' DI APPRENDERE NON SOLO COME DISATTIVARE QUELL'ALLARME ALL'ENTRATA...

...MA ANCHE COME PROSEGUIRE INDISTUR-BATI, UNA VOLTA DENTRO LA MINIERA, FINO ALLA NOSTRA META!

L'UNICA CONTROINDICAZIONE E' CHE NON POTREMO AGIRE SUBITO. SARA' NECESSARIO ASPETTARE... ALMENO UN ALTRO PAIO DI SETTIMANE, SUGGERISCO.
OH, ACCIDENTI!
59

PIU' TARDI...

CIAO, DANIELA.
SANDRO...

ORMAI TI CONOSCO BENE E SAPEVO CHE TI AVREI TROVATA QUI.
GIA'. E' LA MIA PANCHINA PREFERITA.

CI VENIVO SEMPRE INSIEME A MARCELLO, QUANDO ERAVAMO FIDANZATI. PRIMA CHE... TUTTO FINISSE.
60

OGGI TI HO VISTA DELUSA, DANIELA. MI DISPIACE...

MA NON POSSIAMO PROVOCARE DIABOLIK **SUBITO DOPO** LA SUA ULTIMA VISITA ALLA MINIERA! LA "COINCIDENZA" DESTEREBBE IN LUI TROPPI SOSPETTI!
CERTO, CERTO... HO CAPITO IL TUO PIANO.

E POI LA PAZIENZA E' SEMPRE STATA LA NOSTRA ARMA MIGLIORE! SE AVESSIMO AVUTO FRETTA, NON AVREMMO OTTENUTO NULLA!

TUTTO VERO, SANDRO! PERO' L'ATTESA DIVENTA PIU' DURA DA SOPPORTARE, QUANDO CI SI SENTE COSI' VICINI A CIO' CHE SI E' DESIDERATO PER TANTI E LUNGHI ANNI...
61

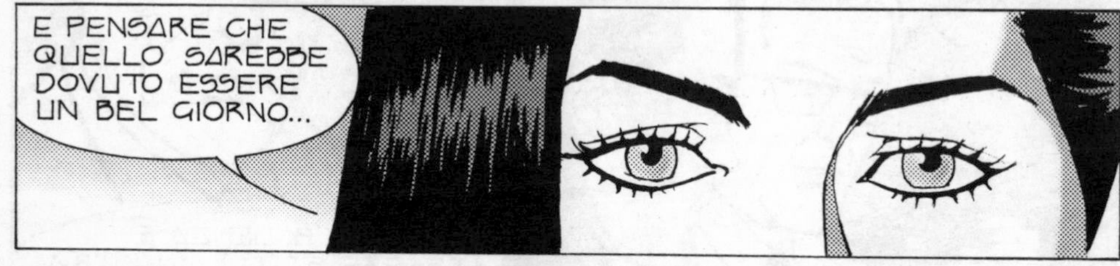

* Vedi "Il cuore di fuoco" - Diabolik n. 12 del 1967

DOVE ANDRETE IN VIAGGIO DI NOZZE?
NON LO SAPPIAMO...

CI FERMEREMO QUANDO TROVEREMO UN POSTO CHE CI PIACE.

A ME QUALUNQUE POSTO SEMBRA MERAVIGLIOSO, QUANDO SONO AL TUO FIANCO!
BENE! ALLORA NON DOVREMO FARE MOLTA STRADA!
AH! AH!
63

E' STATO PERFETTO COSI', MARCELLO! UNA CERIMONIA SEMPLICE, SENZA UN'INTER-MINABILE FESTA DI NOZZE E UN'INFINITA' DI GENTE A CUI DARE RETTA...
WROOM
SOLTANTO MATTEO E PIETRO FILDEN! NON POTEVAMO SCEGLIE-RE TESTIMONI MIGLIORI!
PER ME NON SONO SOLTANTO DUE GRANDI ARCHEOLOGI... E DUE DATORI DI LAVORO IDEALI... MA ORMAI LI CONSIDERO PARTE DELLA MIA FAMIGLIA!
ANZI, DELLA **NOSTRA** FAMIGLIA...
GIUSTO, DANIELA.
64

AL RITORNO DAL VIAGGIO DI NOZZE, RIPRENDERO' GLI STUDI ALL'UNIVERSITA'... COSI', CON UNA LAUREA IN ARCHEOLOGIA, POTRO' AIUTARLI MEGLIO CHE COME SEMPLICE SEGRETARIA!
MA TU SEI GIA' MOLTO DI PIU', PER LORO. IN TE RIPONGONO LA MASSIMA FIDUCIA.
TI LASCIANO PERFINO AVVICINARE AL "CUORE DI FUOCO", LA LORO ANTICA E PREZIOSISSIMA COLLANA.
BE', ANCHE DI TE SI FIDANO MOLTO, MARCELLO!
TI SBAGLI, DANIELA...
SKRIIII
65

...IO **NON** SONO MARCELLO!

DIABOLIK! NOOO!
SCENDI DALLA MACCHINA, SVELTA!

MA... DOVE MI STAI PORTANDO?
LO VEDRAI PRESTO.

EVA! APRI!
66

OH, MIO DIO!
SKRUII
AVANTI, ENTRA!
DANIELA!
"DIABOLIK ED EVA KANT CI AVEVANO RAPITI, PER PRENDERE IL NOSTRO POSTO E INTRODURSI NELLA VILLA DEI FRATELLI FILDEN..."
67

IN SEGUITO, GRAZIE ALL'INGEGNO DI MARCELLO, RIUSCIMMO A TROVARE UN MODO PER CHIEDERE AIUTO E FARCI LIBERARE...

URLAI AI NOSTRI SOCCORRITORI CHE BISOGNAVA CORRERE... PER SALVARE LA COLLANA! NIENT'ALTRO MI IMPORTAVA, IN QUEL MOMENTO! NIENTE E NESSUNO!

MA ERA GIA' TROPPO TARDI. DIABOLIK ED EVA KANT ERANO FUGGITI, PORTANDOSI VIA IL **CUORE DI FUOCO!**

PER MATTEO E PIETRO FILDEN FU UN DURISSIMO COLPO. NON CREDO CHE SIA UN CASO SE MORIRONO ENTRAMBI, NEL GIRO DI POCHI ANNI...

"E PER ME FU LA FINE DI UN AMORE."
COSA STAI DICENDO, MARCELLO? NON VUOI PIU' SPOSARMI?!
ESATTO, DANIELA. NON VOGLIO.

QUANDO
TI HO VISTA COSI'
DISPERATA, IN PREDA
A UNA CRISI ISTERICA,
PER QUELLA... DANNATA
COLLANA, HO CAPITO CHE
PER TE CI SONO COSE BEN
PIU' IMPORTANTI DI ME!

MI DISPIACE, DANIELA, MA NON SEI
LA DONNA CHE PENSAVO DI CONO_
SCERE, E DI VOLERE ACCANTO PER
TUTTA LA VITA!
"NON RIUSCII A RISPONDERE NULLA. DENTRO DI
ME, SAPEVO CHE NON ERA VERO... MA QUALCOSA
FRA DI NOI SI ERA ROTTO, PER SEMPRE."

"COSI' RESTAI SOLA, CON IL MIO DOLORE..."

...E CON LA MIA
RABBIA.
69

ECCO, SONO RIUSCITA AD ANNOIARTI UN'ALTRA VOLTA CON LA MIA TRISTE STORIA!
NESSUN PROBLEMA, DANIELA. FAI BENE A SFOGARTI.

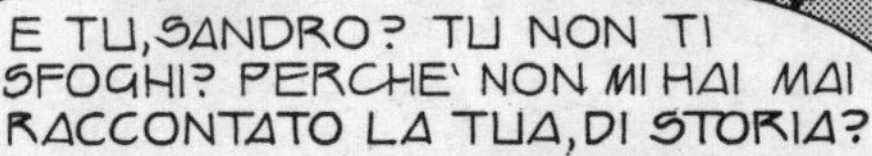
E TU, SANDRO? TU NON TI SFOGHI? PERCHE' NON MI HAI MAI RACCONTATO LA TUA, DI STORIA?

DEV'ESSERCI MOLTO DI PIU' DI QUANTO ERA SCRITTO SUI GIORNALI, ALL'EPOCA IN CUI DIABOLIK TI RUBO' QUEL PROTOTIPO DI LASER...
SI', HAI RAGIONE.

TU HAI PERSO UN AMORE... MA ALMENO HAI FATTO IN TEMPO A VIVERLO, PRIMA. IO INVECE NON HO NEPPURE AVUTO QUESTA FORTUNA.

PERO' PARLARTENE MI FAREBBE TROPPO SOFFRIRE. NON E' ANCORA IL MOMENTO. FORSE, QUANDO TUTTO SARA' FINITO...
70

DUE SETTIMANE DOPO...
BREEEP

MALEDIZIONE!
BREEEP
BREEEP

BREEEP
TLACK

CHE COSA SUCCEDE, AMORE? QUELLO ERA UN ALLARME?
SÌ, EVA...
71

L'ALLARME DI UN VECCHIO RIFUGIO, DOVE TU NON SEI MAI STATA.

VADO A VEDERE CHE COSA E' SUCCESSO...
VUOI CHE VENGA CON TE?

NO. DEVO ANDARE DA SOLO.

E' PROBABILE CHE SIA SOLO UN FALSO ALLARME. TI FARO' SAPERE.
D'ACCORDO, AMORE. CAPISCO...

WROOOM
72

PIU' TARDI...

ORA E' TUTTO CHIARO.

DI SICURO, SI TRATTA DI UNA MACCHINA RUBATA, CHE QUALCUNO HA PORTATO QUI PER SVUOTARLA E SMONTARLA INDISTURBATO...

E, FINITO IL LAVORO, SE NE SARA' ANDATO VIA, SENZA NEMMENO IMMAGINARE DI ESSERE STATO VICINO A TESORI DAL VALORE INCALCOLABILE!
73

SE QUESTA MACCHINA FOSSE RITROVATA QUI, IL POSTO VERREBBE CONTROLLATO DALLA POLIZIA! UN RISCHIO CHE NON POSSO CORRERE!
Ooo

PERCIO' BISOGNERA' CHE LA PORTI VIA, PER POI SPINGERLA GIU' DA UN BURRONE. NON SARA' CERTO UN PROBLEMA.

MA PRIMA DEVO FARE UN CONTROLLO...

SKREE
74

TAP TAP
1
2
3
4
5
6
7
8
9

SONO CERTO CHE NEL MUSEO E' TUTTO A POSTO. MA PREFERISCO DARE COMUNQUE UN' OCCHIATA.
TAP
TAP
TAP
TAP

WOOOSH

75

76

PIU' TARDI...
WROOM

QUI HO SISTEMATO TUTTO. MA, PRIMA DI ANDARMENE, RESTA UN'ULTIMA COSA...

iiiii
77

ECCO, GUARDATE!

QUELLO E' CERTAMENTE IL COMANDO SEGRETO DEL SISTEMA D'ALLARME CHE NOI, ENTRANDO, AVEVAMO VOLUTAMENTE FATTO SCATTARE!

COMPLIMENTI, PROFESSOR LOVEL. IL VOSTRO PIANO HA FUNZIONATO ALLA PERFEZIONE.

MENTRE DIABOLIK ARRIVAVA, ABBIAMO AVUTO IL TEMPO DI PIAZZARE TUTTE QUELLE MICRO-TELECAMERE CHE HANNO COPERTO OGNI ANGOLAZIONE, DENTRO E FUORI LA MINIERA...

...INVIANDOCI QUI IMMAGINI AD ALTISSIMA DEFINIZIONE, DI CUI ADESSO POSSIAMO ESAMINARE COMODAMENTE LE REGISTRAZIONI!
78

E, QUANDO DIABOLIK E' ARRIVATO, HA TROVATO L'AUTO CHE AVEVAMO LASCIATO LI' APPOSTA, PER INGANNARLO...
IN UN CERTO SENSO, L'IDEA ME L'HA SUGGERITA LUI STESSO.

NON E' INSOLITO, INFATTI, CHE RIESCA A SFRUTTARE I SISTEMI DI ALLARME A PROPRIO VANTAGGIO.
SI', E' VERO.

BENE. ADESSO ANALIZZIAMO LE IMMAGINI PIU' IMPORTANTI. CIOE', QUELLE REGISTRATE ALL'INTERNO DELLA GALLERIA.

FATE ATTENZIONE...

1 2 3
4 5 6
7 8 9
C O V

ORA USERO' LO ZOOM, STRINGENDO SUL DETTAGLIO DELLA TASTIERA, PER POTER LEGGERE IL CODICE DIGITATO...
NO, ASPETTA! LASCIAMI VEDERE L'IMMAGINE PER INTERO!

L'ALTRA MANO... PERCHE' LA TIENE ALZATA, IN QUELLA POSIZIONE?! NON HA SENSO!

IMPOSSIBILE, MICHELE! DIABOLIK **NON FA MAI NULLA** SENZA UN SENSO!

MA SI', E' CHIARO! ADESSO HO CAPITO!
CHE COSA HAI CAPITO, SANDRO?!
80

DEV'ESSERCI UN FASCIO DI RAGGI INFRAROSSI, CHE LUI INTERCETTA CON LA MANO! SONO PRONTO A SCOMMETTERCI!

UNA SPECIE DI "INTERRUTTORE INVISIBILE", VUOI DIRE?
ESATTAMENTE!

NON UTILIZZANDO QUELLA PROCEDURA, LA PARETE DI ROCCIA NON SI APRE... E, PROBABILMENTE, ACCADE PURE DI PEGGIO!

IL RISCHIO E' DI RITROVARSI AVVOLTI DA UNA NUVOLA DI GAS LETALE... OPPURE TAGLIATI IN DUE DA UN LASER, CHISSA'...

MA ORA NON DOBBIAMO PREOCCUPARCI! ABBIAMO SCOPERTO TUTTO QUEL CHE C'ERA DA SCOPRIRE! E NEMMENO DIABOLIK POTRA' PIU' FERMARCI!
GIUSTO, SIGNOR RADEN.
81

E COSI', IL GIORNO DOPO...

SWIISH

OH, CIELO!

E'... E' MERAVIGLIOSO!
82

ECCOLO!

IL CUORE DI FUOCO!

FINALMENTE...
83

E COSI' DANIELA HA GIA' TROVATO CIO' CHE VUOLE. E VOI DUE?

BE', IO MI "ACCONTENTERO'" DI QUALCOSA DI NON TROPPO INGOMBRANTE...

QUALCOSA DEL GENERE, PER ESEMPIO...
ECCELLENTE SCELTA, MICHELE.

LE PIETRE DI CUI E' TEMPESTATA **LA CORONA MIKOSKY** VALGONO DE-CINE DI MILIONI. MA TU NON HAI CERTO INTENZIONE DI VENDERLA...
HAI RAGIONE, DANIELA. RISCHIEREI DI ATTIRARE L'ATTENZIONE DI DIABOLIK. MI BASTERA' CONSERVARLA, IN RICORDO DI QUESTA VITTORIA.

GIUSTO. E LO STESSO VALE PER ME, CON IL **CUORE DI FUOCO**...

ADESSO TOCCA AL NOSTRO CERVELLONE...
NO, MICHELE.
84

IO PASSO LA MANO. NON VOGLIO NULLA... A PARTE LA VENDETTA.

MI BASTA SAPERE CHE DIABOLIK SOFFRIRA', COME ABBIAMO SOFFERTO NOI.
NE PUOI STARE CERTO, SANDRO.

SARA' UN COLPO DURISSIMO PER LUI! GLI FARA' DAVVERO MALE, NEL PROFONDO DELL'ANIMO!

SIGNOR RADEN, A QUESTO PUNTO TOCCHEREBBE A VOI... MA NON AVETE BISOGNO DI SCEGLIERE.
ESATTO. IO PRENDERO' **TUTTO** IL RESTO, SECONDO I PATTI.

ANCHE PER ME LA VENDETTA E' LA PRIORITA'. MA IO SONO ANCHE UN UOMO D'AFFARI... E QUESTO E' STATO UN INVESTIMENTO A LUNGO TERMINE, DI CUI RACCOGLIERO' I FRUTTI IN FUTURO.
85

LA VENDITA AVVERRA' ALL'ESTERO, LIMITATA AD ALCUNI PEZZI... E COMUNQUE FRA PARECCHIO TEMPO. CON IL MASSIMO LIVELLO DI SEGRETEZZA.

QUINDI LE NOSTRE STRADE STANNO PER SEPARARSI, SIGNOR RADEN...
SI', CERTO. PER QUANTO VI RIGUARDA, IL LAVORO E' FINITO.

PRENDETEVI CIO' CHE AVETE SCELTO E LASCIATEMI CAMPO LIBERO. I MIEI UOMINI PROVVEDERANNO A CARICARE E PORTARE VIA IL RESTO...

A PROPOSITO, LI HO SCELTI ANCHE IN BASE ALLA LORO DISCREZIONE. TERRANNO LA BOCCA CHIUSA.

MI RACCOMANDO, COMUNQUE... FATE RIPULIRE IL POSTO, IN MODO CHE DIABOLIK NON TROVI NESSUNA TRACCIA RICONDUCIBILE A NOI.
NON PREOCCUPATEVI, SIGNORI. NON RESTERA' NULLA...
86

...ASSOLUTAMENTE NULLA...

BE'...SEMBRA UN SASSO.

SI', LO SEMBRA. MA SE LO ESAMINATE MEGLIO, SIGNOR RADEN, SCOPRIRETE CHE E' MOLTO DI PIU'.
VEDIAMO...

IN REALTA', SI TRATTA DI **UN ORDIGNO** AD ALTO POTENZIALE ESPLOSIVO. LA "TRAPPOLA" CHE MI AVETE CHIESTO.
PER LA MISERIA!

ORA NON C'E' ALCUN PERICOLO A MANEGGIARLO. UNA VOLTA ATTIVATO, PERO', SI HANNO POCHI SECONDI PER RIAPPOGGIARLO, ASSICURANDOSI CHE RESTI BEN STABILE.
87

UN SUCCESSIVO SPOSTAMENTO PROVOCA UNA ESPLOSIONE CON EFFETTI LETALI NEL RAGGIO DI DIECI METRI. NESSUNA SPERANZA DI SOPRAVVIVERE.
A OGNI BUON CONTO, VI SUGGERISCO DI NASCONDERE SUL POSTO ANCHE ALTRE BOMBE, PER OTTENERE UNA SERIE DI ESPLOSIONI A CATENA, CHE DISTRUGGERANNO TUTTO.
OTTIMO, SIGNOR RUSSELL! SONO IMPRESSIONATO!

AVETE DIMOSTRATO DI ESSERE UN COLLABORATORE VALIDO ED EFFICIENTE... E CHE IL PROFESSOR LOVEL NON HA L'APPANNAGGIO DELLE IDEE GENIALI!

PER LA VERITA', L'IDEA NON E' MIA. QUESTO ORDIGNO E' "SPARITO" DA UN MAGAZZINO DELL'ESERCITO...
88

IO HO VALUTATO CHE FOSSE PARTICOLARMENTE ADATTO ALLE VOSTRE ESIGENZE... E AL LUOGO IN CUI DOVRETE OPERARE.
SI', E' CHIARO. ALL'INTERNO DI UNA MINIERA, UN SASSO NON HA NULLA DI SOSPETTO.

MA COME POTREMO ESSERE CERTI CHE LA VITTIMA LO SPOSTERA'?
ORA VI SPIEGO, SIGNOR RADEN...

PER COMPLETARE LA "TRAPPOLA", BASTERA' UNA BUSTA...

UNA SEMPLICE BUSTA VUOTA!
89

ECCO FATTO, SIGNOR RADEN...

ABBIAMO PRESO QUEL CHE DOVEVAMO. ADESSO POSSIAMO ANDARE.

QUESTO E' UN ADDIO, PER QUANTO MI RIGUARDA. NON CREDO CHE AVREMO ALTRE OCCASIONI DI LAVORARE INSIEME. HO DECISO DI CAMBIARE MOLTE COSE, NELLA MIA VITA.
BUONA FORTUNA, ALLORA.

PER VOI TRE, E' FINITA. MA ORA PER ME ARRIVA IL MEGLIO.
90

PIU' TARDI...
WROOM

BENE. SIAMO ARRIVATI.

GRAZIE DI AVERMI ACCOMPAGNATO A CASA, SANDRO. SEI SEMPRE COSI' GENTILE.
FIGURATI, DANIELA. ERO GIA' DI STRADA.

EHI, PERCHE' QUELLA FACCIA? OGGI DOVREBBE ESSERE UN GIORNO FELICE! HAI AVUTO LA TUA VENDETTA... E AVEVI DETTO CHE NON DESIDE-RAVI ALTRO!
MA NON ERA LA VERITA'... ORA LO CAPISCO.
91

DANIELA, C'E' QUALCOS'ALTRO CHE IO VOGLIO, QUALCOSA CHE CONTA PIU' DELLA VENDETTA... PIU' DELL'ODIO CHE HO PER DIABOLIK!

DI CHE STAI PARLANDO ADESSO? CHE COSA POTRA' MAI ESSERE TANTO IMPORTANTE?!
L' AMORE, DANIELA... IL TUO **AMORE!**

OH, SANDRO...

92

*** Vedi "Colpo di miliardi" - Diabolik n. 2 del 1967**

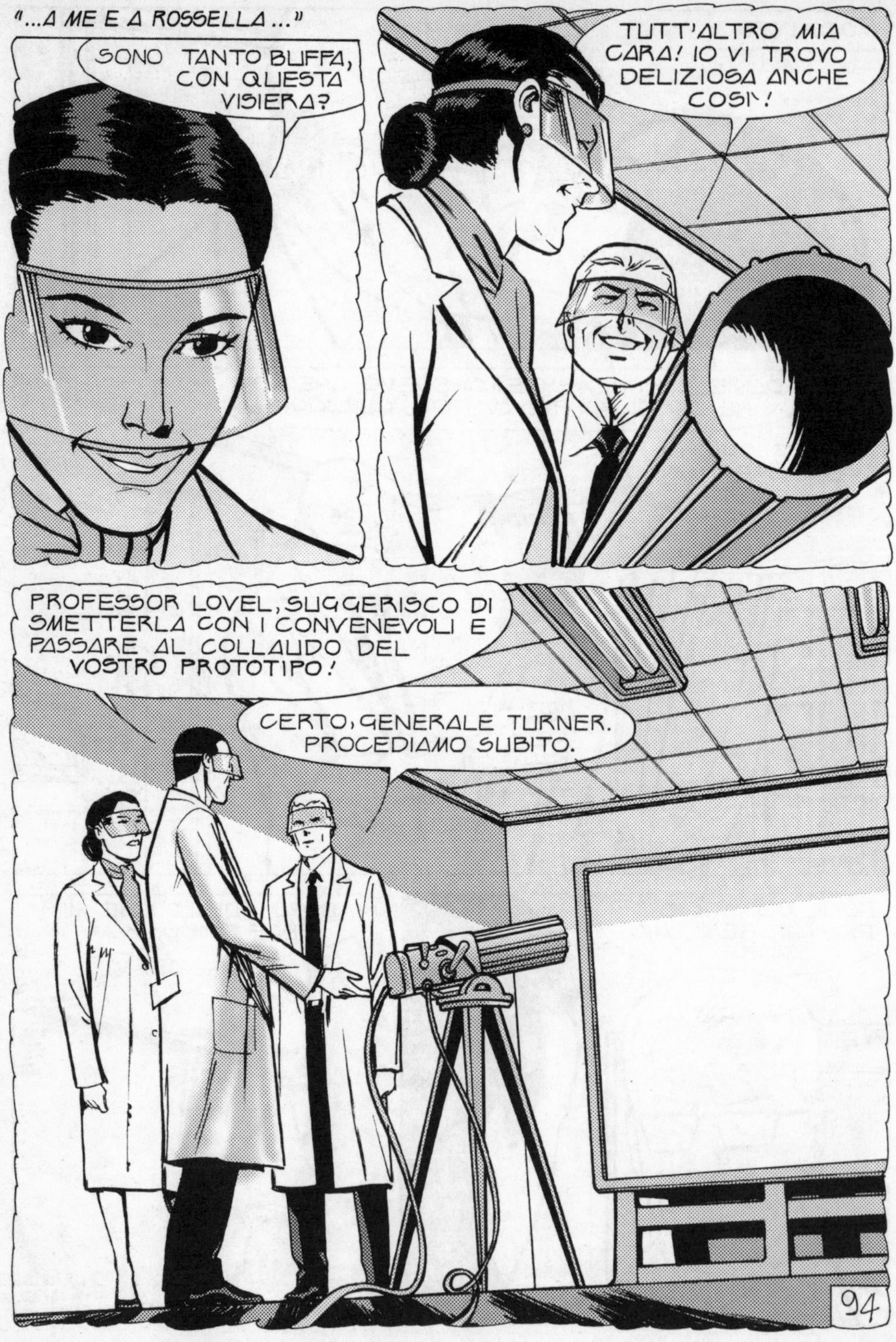

PROFESSOR LOVEL, SUGGERISCO DI SMETTERLA CON I CONVENEVOLI E PASSARE AL COLLAUDO DEL VOSTRO PROTOTIPO!

CERTO, GENERALE TURNER. PROCEDIAMO SUBITO.

COME VI HO SPIEGATO, SI TRATTA DI UN LASER A FASCI MULTIPLI, CHE SONO RIUSCITO AD ACCOSTARE SENZA CHE INTERFERISCANO A VICENDA.
E ORA NE OSSERVEREMO GLI EFFETTI, SU QUELLA PARETE DI ACCIAIO...
TLAC
PERDIANA!
FZZZ
FZZZ
ZZZZ
95

FZZZZZZN
DIREI CHE PUO' BASTARE.
TLACK
STRAORDINARIO! DAVVERO STRAORDINARIO!
PROFESSOR LOVEL, VOI SIETE UN GENIO!
BE', IL MERITO E' ANCHE DI ROSSELLA FINK... LA MIA INSOSTITUIBILE ASSISTENTE!
"MA IO AVREI VOLUTO CHE LEI DIVENTASSE QUALCOSA DI PIU' DELLA MIA ASSISTENTE. E STAVO CERCANDO IL... CORAGGIO DI DIRGLIELO."
96

"ROSSELLA RISIEDEVA NELLA MIA VILLA, DOVE SI TROVAVA IL LABORATORIO IN CUI STAVAMO LAVORANDO INSIEME..."

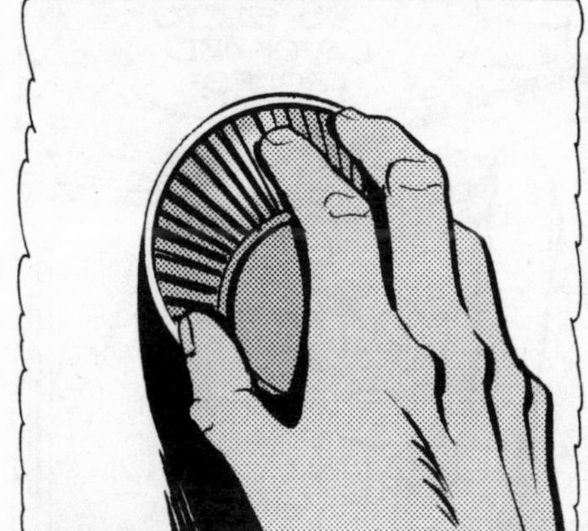
"...E LA' C'ERA ANCHE LA CASSAFORTE, DOVE CUSTODIVO IL PROTOTIPO DEL LASER."

"AVEVO PIENA FIDUCIA IN LEI. COSI' QUEL GIORNO NON PROVAI IL MINIMO SOSPETTO, MENTRE MI OSSERVAVA COMPORRE LA COMBINAZIONE SEGRETA."

OGGI FINIREMO QUEI CALCOLI... SONO PICCOLI PARTICOLARI, MA VANNO MESSI A PUNTO.
GIUSTO, PROFESSORE. PERO' IO...

OOOH, NON MI SENTO BENE!
ROSSELLA!

"QUEL GIORNO ROSSELLA ERA CADUTA DA CAVALLO. E IO PENSAI CHE FOSSE LA CAUSA DEL MALORE. MA QUANDO LE PROPOSI DI CHIAMARE UN MEDICO..."
NO, PROFESSORE... NON OCCORRE!

E' GIA' PASSATO. CREDO CHE SI TRATTI SOLTANTO DI UN PO' DI STANCHEZZA. SE NON VI DISPIACE, VADO A SDRAIARMI SUL LETTO.
LA COLPA E' MIA! VI HO FATTO LAVORARE TROPPO!

PER FORTUNA, FRA POCO AVREMO FINITO... E CI PRENDEREMO UNA VACANZA. COSA NE DIRESTE DEL GIRO DEL MONDO?
VERAMENTE...
98

"QUEL VIAGGIO, NEI MIEI SOGNI, SAREBBE STATO LA NOSTRA LUNA DI MIELE."
CARA, IO NON SO PARLARE D'AMORE... TU HAI CAPITO CHE TI VOGLIO BENE, VERO?
PROFESSORE! VI PREGO!

POSSIBILE CHE SIA COSÌ SORPRESA? CON TUTTI QUEGLI SGUARDI CHE CI SCAMBIAVAMO... E TUTTE QUELLE MEZZE PAROLE!

"MA LEI NON ERA LA DONNA CHE CREDEVO. NON PIÙ."

"OGGI POSSO IMMAGINARE CHE COSA DEVE ESSERE SUCCESSO, SUBITO DOPO, QUANDO SI RITROVÒ DA SOLA NELLA SUA STANZA... E COSA DEVE AVERE PENSATO."
MOLTO BENE! ORA CONOSCO LA COMBINAZIONE DELLA CASSAFORTE!
99

"IN SEGUITO, IN BASE ALLE RICOSTRUZIONI DELLA POLIZIA, EBBI MODO DI CAPIRE COME DOVEVANO ESSERE ANDATE LE COSE, A PARTIRE DALLA CADUTA DA CAVALLO..."

"... CHE **NON** FU UN INCIDENTE!"

"IN QUEI GIORNI, C'ERA SEMPRE UN POLIZIOTTO IN BORGHESE A SORVEGLIARE ROSSELLA, NEL TIMORE CHE QUALCUNO CERCASSE DI CARPIRLE I SEGRETI DEL LASER..."

"...MA NON EBBE IL MINIMO SOSPETTO DI CIO' CHE ERA AVVENUTO."

«IN SEGUITO, DIABOLIK RIUSCI' A INTRODURSI NELLA MIA VILLA E A IMPOSSESSARSI DEL PROTOTIPO...»

«E LO USO' PER ESPUGNARE IL CAVEAU DI UNA BANCA, METTENDO A SEGNO UNO DEI SUOI COLPI PIU' CLAMOROSI.»
FZZZZZZZ

E ALLA FINE CHE COSA NE FECE DI ROSSELLA FINK, LA TUA ASSISTENTE?
LA LASCIO' LIBERA. MA PURTROPPO LA STORIA NON E' ANCORA FINITA.

ADESSO ARRIVA LA PARTE PEGGIORE, CHE FINO A OGGI NON HO MAI RACCONTATO A NESSUNO... ANCHE PERCHE' SI TRATTA DI UN SEGRETO DI STATO!
102

INSOMMA, ISPETTORE GINKO, QUANDO POTRO' RIVEDERE LA MIA ASSISTENTE? PERCHE' NON HO PIU' AVUTO SUE NOTIZIE?!
CI SONO DEI PROBLEMI, PROFESSOR LOVEL. ED E' IL MOTIVO PER CUI VI HO CONVOCATO.

A CAUSA DELLA NATURA DELL'OGGETTO TRAFUGATO DALLA VOSTRA VILLA, SONO INTERVENUTI I SERVIZI SEGRETI. CHE HANNO SVOLTO ULTERIORI INDAGINI, CON I PROPRI MEZZI.

D'ACCORDO, CAPISCO... MA CHE C'ENTRA IN TUTTO QUESTO ROSSELLA FINK?

IL PUNTO, PROFESSORE, E' CHE NON E' MAI ESISTITA NESSUNA ROSSELLA FINK. SI TRATTA DI UNA FALSA IDENTITA'.
COSA?
103

IN REALTA', LEI E' UNA SPIA STRANIERA INFILTRATA A CLERVILLE, CON L'INCARICO DI STARVI AL FIANCO E CARPIRE INFORMAZIONI SUL VOSTRO LASER.

AL MOMENTO, E' SOTTO CUSTODIA DEI SERVIZI SEGRETI. MA PRESTO VERRA' ESTRADATA, IN CAMBIO DELLA LIBERAZIONE DI UN NOSTRO AGENTE DETENUTO ALL'ESTERO...
CHIARO, HO CAPITO. UNO SCAMBIO DI SPIE.

MALEDIZIONE! COME HA POTUTO... COME HA POTUTO INGANNARMI?!

UN MOMENTO, PROFESSOR LOVEL! NON ABBIAMO ANCORA TERMINATO...
CHE ALTRO C'E', ISPETTORE?

ECCO, TENETE. LEI HA VOLUTO SCRIVERVI QUESTA LETTERA... E IO HO OTTENUTO L'AUTORIZZAZIONE A FARVELA LEGGERE. CREDO CHE NE ABBIATE DIRITTO.
104

OH, ROSSELLA...

EBBENE? CHE COSA AVEVA SCRITTO SU QUELLA LETTERA?

AVEVA SCRITTO CHE MI AMAVA... E CHE, PRIMA CHE DIABOLIK SI METTESSE DI MEZZO, AVEVA DECISO DI RINNEGARE LA PROPRIA PATRIA, PER RESTARMI VICINO!
105

QUELLA DONNA NON MI AVREBBE MAI TRADITO! E AVREMMO POTUTO SPOSARCI, VIVERE INSIEME!
POVERO SANDRO. CAPISCO IL TUO DOLORE...

UN DOLORE COSI' SIMILE AL MIO.

MA ADESSO E' TUTTO FINITO, DANIELA! ADESSO MI SENTO PRONTO A DIMENTICARE TUTTO, AL TUO FIANCO... ED ESSERE FELICE!
PER ME E' LO STESSO, AMORE! ANCH'IO SONO PRONTA!

106

QUALCHE TEMPO DOPO...
UUUUUOOOOOUUUUU
WRAOOM

LI ABBIAMO ANCORA ALLE CALCAGNA!
NON E' UN PROBLEMA, EVA...

PRESTO CE NE LIBEREREMO.

SKREEE

PER LA MISERIA!

DIABOLIK E' ENTRATO IN QUEL PARCHEGGIO!
SI', L'HO VISTO...

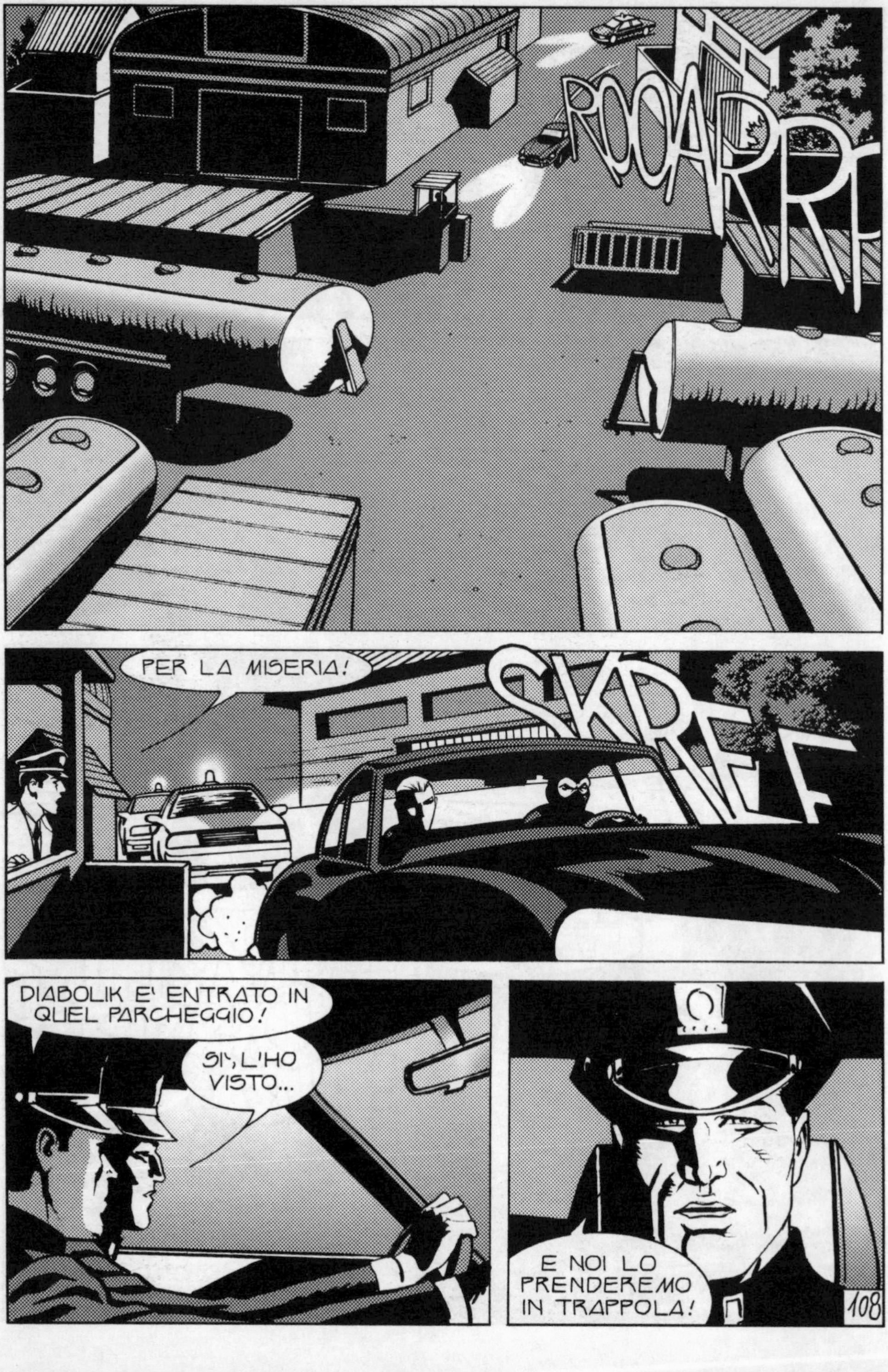

E NOI LO PRENDEREMO IN TRAPPOLA!
108

CI SONO ALTRE ENTRATE, OLTRE A QUESTA?
NO, SIGNORE! E' L'UNICA!

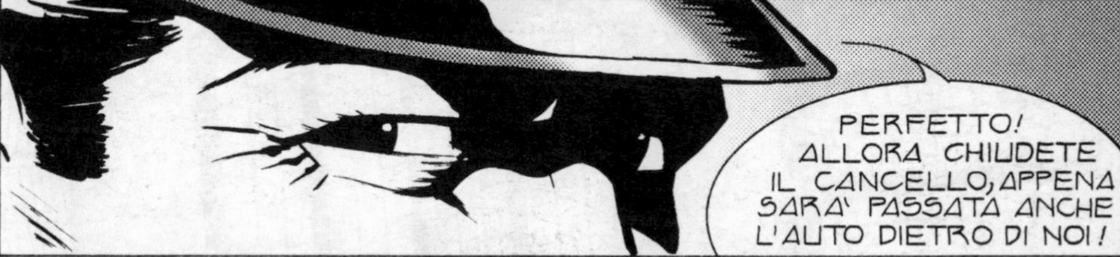
PERFETTO! ALLORA CHIUDETE IL CANCELLO, APPENA SARA' PASSATA ANCHE L'AUTO DIETRO DI NOI!

CLANG

ADESSO SARA' MEGLIO DIVIDERSI. AVVISO GLI ALTRI.
GIUSTO.

WROOOM

110

SI SENTONO DI NUOVO LE SIRENE, VICINE! DEVONO ESSERE ENTRATI ANCHE LORO!
SI', E' CHIARO.

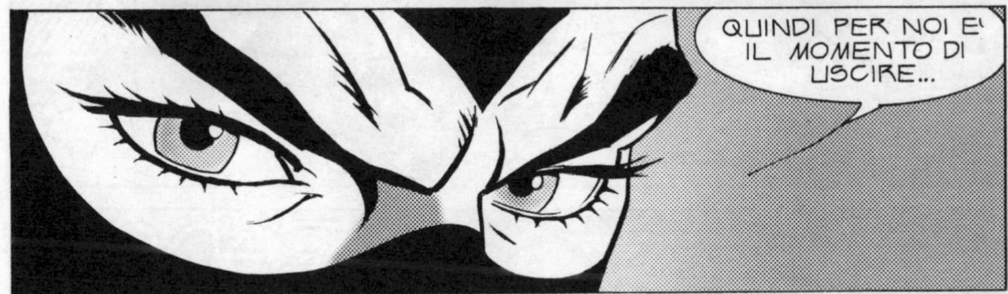
QUINDI PER NOI E' IL MOMENTO DI USCIRE...

UUUUUUUUUUUUuuuu
WROO

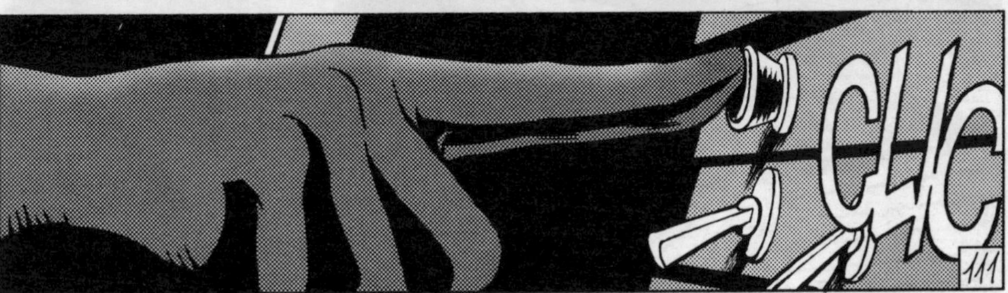
CLIC
111

KKKKKKKKKK

WROOOM

WROOOM

TIENTI FORTE, EVA.

ROAARRRR
112

SBAM WROOO

WROOOOOOM

PRRRRAR

CLANG

UUUUUU
113

PIU' TARDI...
UN COLPO STRAORDINARIO, AMORE! QUESTI GIOIELLI SONO MERAVIGLIOSI!

E QUESTA STATUA DI AVORIO E' PARTICOLARE...
HAI RAGIONE, EVA.

DAVVERO PARTICOLARE.

IN REALTA', NIENT'ALTRO AVEVA IMPORTANZA PER ME, QUESTA NOTTE...
114

L'INDOMANI...
WROOM

EVA NOTERA' CHE DAL BOTTINO MANCA QUELLA STATUA D'AVORIO... E IMMAGINERA' CHE L'HO PRESA PER ME.

COME IN ALTRI CASI SIMILI, NON MI CHIEDERA' SPIEGAZIONI...

UN GIORNO... FORSE... LE RIVELERO' IL MIO SEGRETO...
115

E COSI'...
WROOOM

WOOSH
116

WOOOSH

WOOOSH
COSA?!

TUMP

NO...
117

NOOO!

NON C'E' PIU' NIENTE... NIENTE!

COME PUO' ESSERE SUCCESSO? CHI PUO' ESSERCI RIUSCITO?!
118

UNA BUSTA...

UN MESSAGGIO PER ME!

119

BOOM

BOOM
BOOM
BOOM

UN PAIO DI GIORNI DOPO...
ALLORA, POSSO SAPERE PERCHE' AVETE CHIESTO DI INCONTRARMI?

LA RAGIONE SI TROVA SU QUESTA PAGINA DI GIORNALE, SIGNOR RADEN. E' UNA NOTIZIA CHE NON HA AVUTO GRANDE RISONANZA. TUTTAVIA PER NOI E' INTERESSANTE.

SI', E' VERO... SEMBRA **MOLTO** INTERESSANTE.

PER RISPARMIARE TEMPO, QUALCUNO VUOLE ESSERE COSI' GENTILE DA RIASSUMERMI L'ARTICOLO?
D'ACCORDO. PROVVEDO IO.
121

UNA SERIE DI ESPLOSIONI A CATENA HA PROVOCATO IL CROLLO DI UNA VECCHIA MINIERA ABBANDONATA, NELLA VALLE DEL CORVO...

LA LOCALITA' E' ISOLATA E FUORI MANO. MA IL RUMORE E' STATO AVVERTITO NEL RAGGIO DI PARECCHI CHILOMETRI. COSI' DEI GUARDIACACCIA SONO ARRIVATI, SCOPRENDO L'ACCADUTO.

SECONDO LE AUTORITA', POTREBBERO ESSERE STATE DELLE CARICHE DI ESPLOSIVO, LASCIATE LI' DAI TEMPI IN CUI LA MINIERA ERA ATTIVA...

...E INNESCATE DA UN'IMPRECISATA CIRCOSTANZA "ACCIDENTALE".

IN OGNI CASO, NEGLI ULTIMI GIORNI NON E' STATA SEGNALATA NESSUNA PERSONA SCOMPARSA. E QUINDI ORA SI ESCLUDE CHE CI SIANO VITTIME DA CERCARE.
122

MMM... CIO' SIGNIFICA CHE NON SARA' EFFETTUATO NESSUNO SCAVO E IL CASO VERRA' SUBITO ARCHIVIATO...
E' PROBABILE, SIGNOR RADEN.

PERO' NOI SAPPIAMO CHE **NON** PUO' ESSERE STATO UN INCIDENTE!

LA NOTTE PRIMA DIABOLIK AVEVA RUBATO UNA STATUA D'AVORIO RAPPRESENTANTE UN FALCO, DEGNA DI STARE AL FIANCO DEI SUOI TESORI PIU' PREZIOSI!
CERTO, CAPISCO.

DUNQUE VOI PENSATE CHE DEBBA ESSERCI LUI ALL'ORIGINE DELLE ESPLOSIONI CHE HANNO DEVASTATO LA MINIERA. E ORA VOLETE ANCHE IL MIO PARERE...

IN REALTA', IO **SO** ESATTAMENTE QUAL E' LA SPIEGAZIONE. PERCHE' TUTTO E' ANDATO SECONDO I MIEI PIANI.
123

BE', CREDO CHE CI SIANO VARIE POS_SIBILITA'... MA NESSUNA PREOCCUPANTE PER NOI.

FORSE, IN UN IMPETO DI RABBIA DIABOLIK HA DISTRUTTO TUT_TO... SEPPELLENDO SOTTO LE ROCCE LE PROVE DELLA PROPRIA SCONFITTA.

O FORSE, OLTRE ALLA RABBIA, E' ENTRATA IN GIOCO ANCHE LA DISPERA_ZIONE...
A COSA STATE PENSANDO, SIGNOR RADEN?

STO PENSANDO CHE IL NOSTRO AVVERSARIO ABBIA ADDIRITTURA DECISO DI TOGLIERSI LA VITA!
NO... NON E' CIO' CHE VOLEVAMO! NON DOVEVA ANDARE A FINIRE COSI'!

CALMA! LA MIA E' SEMPLICEMENTE UN'IPOTESI! E SARA' IL TEMPO A DIRCI SE HO INDOVINATO...
124

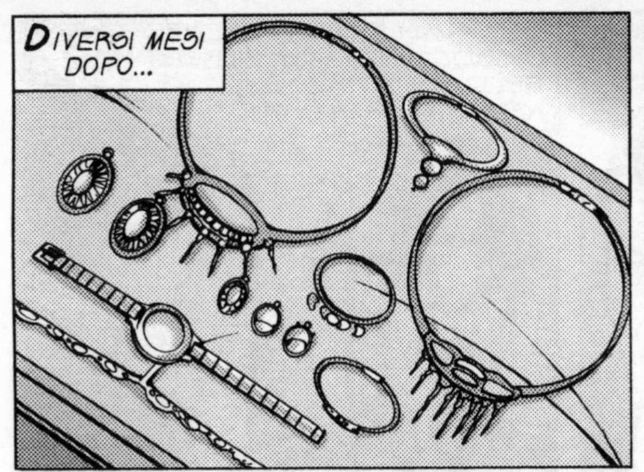
DIVERSI MESI DOPO...

BENE. QUI DENTRO E' TUTTO PRONTO.

LE TECHE CHE CONTENGONO LA COLLEZIONE DI ANTICHI GIOIELLI SONO POSTE SOTTOVUOTO. BASTA LA MINIMA VARIAZIONE DI PRESSIONE PER ATTIVARE UN ALLARME.

E UN SECONDO ALLARME E' COLLEGATO A UNA RETE DI RAGGI INFRAROSSI, CHE ATTRAVERSERANNO L'AMBIENTE DURANTE LA NOTTE.
QUINDI ADESSO BISOGNA SOLTANTO ORGANIZZARE LA SORVEGLIANZA ALL'ESTERNO DEL MUSEO, ISPETTORE GINKO...

ORDINERETE ANCHE IL CONTROLLO AI VOLTI?
CERTO, SERGENTE. E' OVVIO.
125

ISPETTORE, POSSO PARLARE LIBERAMENTE?
D'ACCORDO, DITEMI.

BE', ORMAI E' MOLTO TEMPO CHE DIABOLIK NON DA' PIU' SEGNI DELLA SUA PRESENZA. NE' LUI NE' EVA KANT.

EPPURE IN VARIE OCCASIONI CI ASPET_ TAVAMO CHE CERCASSE DI RUBARE GIOIELLI, DIAMANTI E ALTRI OGGETTI PREZIOSISSIMI TRANSITATI PER CLERVILLE!

COSI' IO MI CHIEDO SE TUTTE QUE_ STE NOSTRE PRECAUZIONI ABBIANO ANCORA UN SENSO...
INVECE LO HANNO, SERGENTE!

I PIANI DI DIABOLIK POSSONO ESSERE MOLTO COMPLESSI, IMPERSCRUTABILI! MAI ABBASSARE LA GUARDIA!
NON VUOLE PROPRIO ACCETTARE LA REALTA'...
126

QUALCHE TEMPO DOPO...
SECONDO ME, SI E' RITIRATO DAGLI "AFFARI" E ADESSO E' IN UN'ISOLA NEI MARI DEL SUD A GODERSI LA VITA, PIENO DI SOLDI!

DA QUANDO LUI NON C'E' PIU', FINALMENTE GLI ONESTI CITTADINI DI CLERVILLE POSSONO DORMIRE SONNI TRANQUILLI!

CHE PECCATO! ERA UN TIPO COSI' AFFASCINANTE!
E ANCHE EVA KANT...

IN REALTA' E' UN ALIENO, CHE E' TORNATO AL SUO PIANETA D'ORIGINE...

RUBAVA SOLTANTO AI RICCHI! IO NON HO MAI AVUTO NIENTE DA TEMERE! E MI STAVA PURE SIMPATICO!

SPERO CHE STIA BRUCIANDO ALL'INFERNO!
127

DIABOLIK, DOVE SEI?
BENE. QUESTE ERANO OPINIONI DELLA GENTE DI CLERVILLE, RACCOLTE PER STRADA...

...E ADESSO PASSIAMO LA PAROLA A FRANCO MAKEN, SOT_TOSEGRETARIO ALLA GIUSTIZIA, CHE RINGRAZIAMO DI AVERE ACCETTATO IL NOSTRO INVITO.

ALLORA, SECONDO VOI DOVE E' FINITO DIABOLIK?

IO NON LO SO... E FORSE NON LO SAPRA' MAI NESSUNO CON PRECISIONE. MA NON E' QUESTO IL PUNTO...
128

IL PUNTO E' CHE FINALMENTE POSSIAMO... ANZI, **DOBBIAMO** VOLTARE PAGINA! UN LUNGO INCUBO E' TERMINATO!

QUALCUNO PERO' NON LA VEDE COSI'. MI RIFERISCO ALLE DICHIARAZIONI DELL'ISPETTORE GINKO...
DICHIARAZIONI ALLARMISTICHE, DA CUI **IO** DISSENTO! E CHE NON ESITO A DEFINIRE PERICOLOSE!

LIK, DOVE SI
FORSE GINKO AVREBBE POTUTO SPIEGARCI DI PERSONA LE PROPRIE RAGIONI. MA NON HA ACCETTATO DI ESSERE NOSTRO OSPITE STASERA...

...COMUNQUE, SEMBRA NON VOGLIA NEMMENO PRENDERE IN CONSIDERAZIONE L'IDEA DELLA SPARIZIONE DI DIABOLIK!
129

NESSUNO PUO' IMMAGINARE LA VERITA'. MA ORMAI, DOPO COSI' TANTO TEMPO, IO POSSO SENTIRMI SICURO CHE DIABOLIK SIA MORTO.

LA TRAPPOLA CHE GLI HO TESO HA FUNZIONATO, FINO IN FONDO!

NON MI BASTAVA PRIVARLO DEI SUOI TESORI! NON MI BASTAVA SAPERE CHE AVREBBE SOFFERTO!

SE LUI AVESSE CONTINUATO A VIVERE, LA MIA VENDETTA NON SAREBBE MAI STATA COMPLETA!

QUANTO A EVA KANT, E' CHIARO CHE ANCHE LEI E' USCITA DI SCENA.
130

HO ASPETTATO ABBASTANZA. ORA SONO SICURO DI NON CORRERE RISCHI. E POSSO PASSARE ALL'UL-TIMA FASE DEL MIO PIANO...

...LA FASE PIU' REDDITIZIA!

BUONASERA, SIGNOR RUSSELL. SONO MARCO RADEN...

DOBBIAMO VEDERCI, PRESTO. HO DI NUOVO BISOGNO DELLA VOSTRA PREZIOSA CONSULENZA.
131

IL GIORNO DOPO...

SONO IMPRESSIONATO. DAVVERO IMPRESSIONATO. CIO' CHE VEDO SUPERA OGNI MIA ASPETTATIVA.

NON RIESCO NEMMENO A IMMAGINARE QUANTO POSSA VALERE QUESTA STRAORDI-NARIA RAC-COLTA! CENTINAIA E CENTINAIA DI MILIONI!
VOI AVETE APPENA AFFERRATO IL NOCCIOLO DELLA QUESTIONE, SIGNOR RUSSELL.

AFFINCHE' AL VALORE TEORICO CORRISPONDA UN GUADAGNO EFFETTIVO, BISOGNA TROVARE DEI COMPRATORI... COSA NON SEMPLICE.
132

CERTO, QUALCHE GIOIELLO PUO' ESSERE SMONTATO PER RICAVARNE LE PIETRE. E QUALCHE OGGETTO D'ORO PUO' ESSERE FUSO E RIDOTTO IN LINGOTTI. MA PER IL RESTO...

... SI TRATTA DI MERCE CHE SCOTTA, COLLEGATA A CLAMOROSI COLPI COMPIUTI DA DIABOLIK! ED E' IMPENSABILE VENDERLA ATTRAVERSO CANALI UFFICIALI E LEGALI!

QUINDI ORA E' NECESSARIO TROVARE **COMPRATORI ADEGUATI** CHE NON SI FACCIANO TROPPI SCRUPOLI PUR DI METTERE LE MANI SU PEZZI DI PARTICOLARE PREGIO...

...E CHE DISPONGANO DI INGENTI CAPITALI, NATURALMENTE.
GIA'. NATURALMENTE.

E' PER QUESTO CHE HO BISOGNO DI VOI, SIGNOR RUSSELL. SIETE UN UOMO ASTUTO, BEN INFORMATO E CON TUTTI GLI AGGANCI GIUSTI.
133

D'ACCORDO, SIGNOR RADEN. L'AFFARE E' INTERESSANTE. MI OCCUPERO' IO DI CERCARE GLI ACQUIRENTI E DI ORGANIZZARE LE OPERAZIONI DI COMPRAVENDITA.
E' PROPRIO CIO' CHE VOLEVO SENTIRVI DIRE!

VI HO GIA' PREPARATO UNA LISTA, CON UNA DESCRIZIONE ACCURATA DI TUTTI I PEZZI E INDICAZIONI SUL LORO VALORE.
MOLTO BENE. STAVO APPUNTO PER CHIEDERVI QUALCOSA DEL GENERE.

A QUESTO PUNTO, RESTA SOLO DA STABILIRE LA PERCENTUALE CHE MI SPETTERA', COME INTERMEDIATORE. MA SONO CERTO CHE TROVEREMO UN ACCORDO SODDISFACENTE.
NESSUN DUBBIO AL RIGUARDO...

VI RENDERO' RICCO, RUSSELL. PIU' DI QUANTO ABBIATE MAI OSATO SPERARE. PERO' VOI NON DELUDETEMI... PERCHE' SAREBBE UN ERRORE FATALE.
134

QUALCHE TEMPO DOPO...

EHI! CI SIAMO!

WROOOM

RUSSELL, STA ARRIVANDO UNA MACCHINA! DEVONO ESSERE LORO!
OKAY, VI RAGGIUNGO SUBITO. VOI INTANTO SAPETE COSA FARE.

135

SONO FABIO JERBER E LEI E' MIA MOGLIE OLGA. ABBIAMO UN APPUNTAMENTO CON MARCO RADEN.
VI STAVAMO ASPETTANDO, INFATTI.

ADESSO PERO' SCENDETE DALLA MACCHINA. DOBBIAMO PERQUISIRVI.
COME?!

E' UNA PURA FORMALITA', SIGNORI. STATE TRANQUILLI.

SEMPRE CHE VOI NON ABBIATE QUALCOSA DA NASCONDERE...
NO... ASSOLUTAMENTE NO!

SEMBRANO UN PO' NERVOSI.
L'HO NOTATO. MA E' COMPRENSIBILE.
136

SONO PULITI, RUSSELL. NIENTE ARMI... NIENTE MICROFONI NASCOSTI O ROBA DEL GENERE.
BENE.

ADESSO CONTROLLATE I VOLTI.

PERMETTETE, SIGNORA?
MA...
137

POCHI MINUTI DOPO...
SIGNORI, INNANZITUTTO VOGLIATE SCUSARMI PER IL TRATTAMENTO CHE AVETE DOVUTO SUBIRE VOSTRO ARRIVO. E MI RIFERISCO IN PARTICOLARE AL CONTROLLO "ANTI-MASCHERA".
E' VERO, DIABOLIK ORMAI E' SPARITO DALLA CIRCOLAZIONE... TUTTAVIA LA PRUDENZA NON E' MAI TROPPA.

DITEMI, PIUTTOSTO, AVETE FATTO UN BUON VIAGGIO DAL RENNARD A QUI?
SI', UN BUON VIAGGIO...

MA ADESSO POSSIAMO LASCIARE PERDERE LE FORMALITA' E PASSARE AGLI AFFARI, SIGNOR RADEN?
NULLA IN CONTRARIO.

SEGUITEMI, PREGO. IMMAGINO CHE SIATE IMPAZIENTI DI VEDERE LA MERCE...
138

*** Vedi "Il segreto sepolto" - Diabolik n. 5 del 2002**

IL TESORO DI RE AKAR E' DESTINATO ALLA COLLEZIONE CUSTODITA IN UNA SALA SEGRETA DELLA MIA VILLA, A CUI SOLTANTO IO E OLGA ABBIAMO ACCESSO!

SONO CONSAPEVOLE CHE QUESTA E' ROBA CHE SCOTTA! NON MI CONVERRA' CERTO FARE SAPERE IN GIRO CHE NE SONO VENUTO IN POSSESSO!
VEDO CHE CI INTENDIAMO ALLA PERFEZIONE!

ADESSO, PER CONCLUDERE LA COMPRAVENDITA, MANCA SOLTANTO UN "DETTAGLIO". E SUPPONGO CHE SI TROVI NELLA VOSTRA VALIGETTA.
INFATTI...

TLACK

DIECI MILIONI, SIGNOR RADEN. COME D'ACCORDO.

PERFETTO! ORA I MIEI COLLABORATORI IMBALLERANNO LA MERCE E VI AIUTERANNO A CARICARLA IN AUTO...
140

E COSI'...
WROOOM

SPERO CHE SIATE SODDISFATTO, SIGNOR RADEN...
ALTROCHE'! AVETE TROVATO UN CLIENTE IDEALE!

E FABIO JERBER E' SOLTANTO IL PRIMO. NE HO GIA' INDIVIDUATI ALTRI, PER IL RESTO DELLA MERCE.
BRAVO!

ADESSO CONTATE I SOLDI... E PRENDETEVI LA VOSTRA PARTE. VE LA SIETE MERITATA.

141

PER LA MISERIA!

CHE SUCCEDE, RUSSELL?
LE MIE DITA...

GUARDATE! SONO SPORCHE DI INCHIOSTRO, LASCIATO DALLE BANCONOTE!

DANNAZIONE! FABIO JERBER MI HA PAGATO CON DEI SOLDI FALSI... E SE N'E' ANDATO CON IL TESORO DI RE AKAR!

MA SE SI CREDE FURBO HA COMMESSO UN GROSSO ERRORE! CHE GLI COSTERA' CARO... A LUI E A SUA MOGLIE!
142

POCO PIU' TARDI...
WROOOM

CI SIAMO! E' LA LORO MACCHINA!

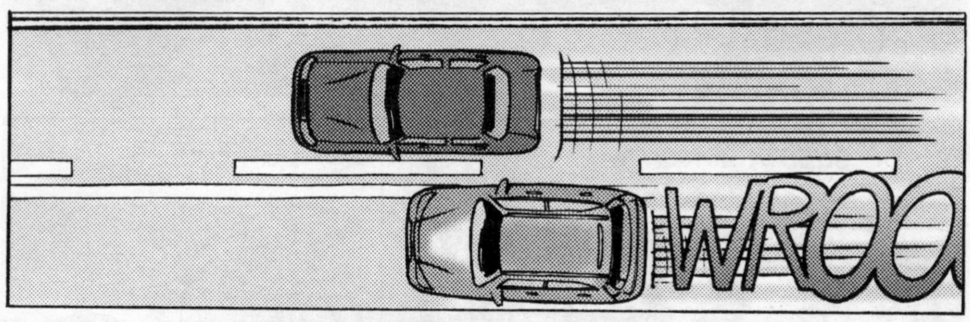
WROO

ROAARR
143

SWEEE

EHI, ACCIDENTI! MA COSA...

FINE DEL VIAGGIO, JERBER! ORA TORNIAMO TUTTI QUANTI INDIETRO, DAL SIGNOR RADEN! VI ATTENDE CON ANSIA!

SVELTI! VOI DUE MONTATE SU **QUESTA MACCHINA!**
SI'... MA NON SPARATE, VI PREGO!

E TU GUIDERAI LA LORO...
OKAY, RUSSELL.
144

IN SEGUITO...
IO LO SAPEVO! TE L'AVEVO DETTO CHE NON AVREBBE FUNZIONATO...
ZITTA, OLGA! MALEDIZIONE!

GIUSTO, JERBER! SEI TU CHE DEVI PARLARE! ADESSO CERCA DEI BUONI ARGOMENTI PER CONVINCERMI A NON AMMAZZARE TE E TUA MOGLIE, DOPO AVERVI FATTO SOFFRIRE!

NO... NO! NON POTETE!
CERTO CHE POSSO!

QUI CI SIAMO SOLTANTO NOI. IN OCCASIONE DELLA VOSTRA VISITA, HO DATO UN GIORNO DI RIPOSO ALLA SERVITÙ! NIENTE TESTIMONI, QUINDI!

NESSUNO CHE POSSA SENTIRE LE VOSTRE URLA DI DOLORE!
OH, CIELO...
145

IL CUORE!
AAAH...
FABIO!

LE PILLOLE...
DEVO PRENDERE
LE MIE PILLOLE!

ACCIDENTI!

ECCO...

CLIC
146

COSA?

FSSSSS

MALEDIZIONE...
AAH!

TUMP

BENE. IL GAS AD ALTA CONCENTRAZIONE HA FUNZIONATO A DOVERE...
E ANCHE I NOSTRI FILTRI NASALI, AMORE.
147

FABIO E OLGA JERBER HANNO SEGUITO ALLA LETTERA LE ISTRUZIONI...

...DEL RESTO, SAPEVANO CHE ERA L'UNICO MODO PER EVITARE UNA MORTE ATROCE, PROVOCATA DAL VELENO CHE AVEVO SOMMINISTRATO LORO!

COSI' OGGI SONO VENUTI QUI A COMPRARE IL **TESORO DI AKAR,** PAGANDOLO CON LA VALIGETTA PIENA DI SOLDI FALSI CHE GLI AVEVI DATO...

"...E, POCO DOPO ESSERE RIPARTITI, HANNO RAGGIUNTO IL LUOGO DELL'APPUNTAMENTO, DOVE E' AVVENUTA LA SOSTITUZIONE."
ADESSO RESTERETE NEL RETRO DI QUESTO FURGONE. QUANDO SARA' TUTTO FINITO, TORNEREMO A LIBERARVI E AVRETE L'ANTIDOTO...

POI CI SIAMO MESSI IN VIAGGIO, IN ATTESA CHE MARCO RADEN SI ACCORGESSE DI ESSERE STATO FREGATO E SPEDISSE I SUOI GORILLA A PRENDERCI.
NON C'ERANO DUBBI SU COME SAREBBERO ANDATE LE COSE...
148

AVEVO PREPARATO QUELLE BANCONOTE IN MODO CHE L'INCHIOSTRO MACCHIASSE LE DITA DI CHI LE AVREBBE MANEGGIATE.

IL CONTROLLO DEI VOLTI ERA GIA' STATO FATTO ALL'ARRIVO DEI ZERBER. E, COME PREVISTO, NESSUNO HA PENSATO DI RIPETERE LA PROCEDURA QUANDO CI HANNO RIPORTATI QUI.
OVVIO. SEMBRAVA DEL TUTTO INUTILE.

UN PIANO GENIALE, AMORE. MA LA PARTE PIU' INTERESSANTE NON E' ANCORA ARRIVATA.
SI', EVA...

ORA SVEGLIERO' RADEN INIETTANDOGLI UNA SOSTANZA ECCITANTE...

SARA' TERRORIZZATO E MI DIRA' TUTTO... FINALMENTE SAPRO' LA VERITA'!
149

POCO DOPO...
A QUEL PUNTO, DANIELA ODIL, SANDRO LOVEL E MICHELE ESTON ERANO SODDISFATTI. PER LORO, LA PARTITA ERA CHIUSA.

AVEVANO FATTO TUTTO SOLTANTO PER INFLIGGERTI UNA DOLOROSA SCONFITTA, PRIVANDOTI DEGLI OGGETTI CHE PIU' AMAVI AL MONDO!

INVECE A ME NON BASTAVA! VOLEVO QUALCOS'ALTRO AN_CORA...VOLEVO SAPERTI MORTO! SOLTANTO COSI' LA MIA VENDETTA SAREBBE STATA COMPLETA!

MA LA VENDETTA NON ERA L'UNICA RAGIONE PER CUI AVEVI DECISO DI ELIMI_NARMI, VERO? C'ERA ANCHE UNA RAGIONE DI TIPO "ECONOMICO"...

SI'... SAPEVO CHE, FINCHE' TU FOSSI RIMASTO IN VITA, IO NON AVREI MAI POTUTO METTERE IN VENDITA QUELLA ROBA SENZA IL RISCHIO DI ATTIRARE LA TUA ATTENZIONE!
150

MA TU NON DOVRESTI ESSERE VIVO! LA MIA TRAPPOLA AVEVA FUNZIO_ NATO! NE HANNO PARLATO PURE I GIORNALI... LA MINIERA E' STATA DEVASTATA DALLE ESPLOSIONI!
CERTO, RADEN. PERO', QUANDO E' SUCCESSO, NON MI TROVAVO LA' DENTRO.

C'E' MANCATO POCO, MOLTO POCO...

"STAVO PER SOLLEVARE QUELLO CHE SEMBRAVA SOLTANTO UN PESO MESSO LI' PER TENERE FERMA LA BUSTA. MA ALL'ULTIMO MOMENTO..."
NO! C'E' QUALCOSA CHE NON VA!

QUESTO TIPO DI PIETRA, DI ORIGINE VULCANICA, NON SI TROVA IN QUESTA ZONA!

E IO LO SAPEVO BENE, PERCHE' AVEVO TRASCORSO MESI FRA QUELLE ROCCE, ALL'EPOCA IN CUI AVEVO COSTRUITO IL MIO MUSEO!

LA COSA MI HA INSOSPETTITO. COSI' HO ESAMINATO ACCURATAMENTE QUELLA PIETRA, SENZA MUOVERLA, SCOPRENDO CHE IN REALTA' ERA UNA BOMBA...

IN SEGUITO SONO RIUSCITO A LOCALIZZARE ANCHE GLI ALTRI ORDIGNI NASCOSTI TUTTO ATTORNO...

A QUEL PUNTO, HO DECISO CHE LA TRAPPOLA POTEVA ESSERE RIUTILIZZATA A MIO VANTAGGIO. E HO PROVOCATO IO, APPOSTA, QUELLE ESPLOSIONI.
DANNAZIONE!

POI HO DOVUTO ADOTTARE
UNA...SOLUZIONE ESTREMA,
ARENDO DALLA CIRCOLAZIONE
MOLTO, MOLTO TEMPO.

AVEVO IPOTIZZATO, INFATTI, CHE CHI MI AVEVA DEPREDATO DI PEZZI TANTO RARI, PREZIOSI E PARTICOLARI, INTENDESSE TRARNE UN PROFITTO, METTENDOLI IN VENDITA.
152

MA, PRIMA DI CERCARE DEGLI ACQUIRENTI GIUSTI, IL MIO AVVERSARIO... O I MIEI AVVERSARI... AVREBBERO ATTESO DI ESSERE CERTI DELLA MIA MORTE.
E COSI' E' STATO, INFATTI. SEI RIUSCITO A INGANNARMI.

NEL FRATTEMPO, HO SORVEGLIATO UNA SERIE DI RICCHI COLLEZIONISTI, DI QUELLI CHE NON SI FANNO TROPPI SCRUPOLI A COMPRARE MERCE DI PROVENIENZA ILLEGALE.

FRA DI LORO C'ERA FABIO JERBER, GRANDE APPASSIONATO DI REPERTI DELL'ANTICA CIVILTA' DEI LEONITI...

E QUANDO UN INFORMATORE GLI HA FATTO SAPERE CHE ERA IN VENDITA IL **TESORO DI RE AKAR**... MI SONO SERVITO DI LUI E DI SUA MOGLIE PER ARRIVARE FINO A TE, MARCO RADEN!
MALEDETTO! MALEDETTO **DIABOLIK**...

... E MALEDETTA ANCHE TU, **EVA KANT!**
153

E QUESTO
E' TUTTO, EVA... ANCHE
CIO' CHE PRIMA NON TI
AVEVO MAI RACCONTATO.

ADESSO PERO' ERA GIUSTO CHE TU SAPESSI OGNI COSA. PERCHE' HO BISO-GNO DEL TUO AIUTO... E DELLA TUA COMPLICITA'... SE VOGLIO TROVARE CHI HA DEPREDATO IL MIO MUSEO!
MMM... LO CHIAMAVI "MUSEO".

DOVREI ESSERE DISPIACIUTA CHE LUI MI ABBIA TENUTA FUORI DA UNA QUESTIONE TANTO IMPORTANTE. E UN PO' LO SONO DAVVERO...

TUTTAVIA IO NON GLI HO MAI RACCONTATO CERTI FATTI DEL MIO PASSATO, CHE RESTERANNO PER SEMPRE SEGRETI.

D'ACCORDO, TI AIUTERO'. IN FONDO, SARA' L'OCCASIONE PER UNA SPECIE DI LUNGA VACANZA...
GRAZIE, AMORE. GRAZIE DI AVERE CAPITO.
154

E ADESSO, DIABOLIK? NON TI ACCONTENTERAI CERTO DI AVER RECUPERATO IL TESORO DI RE AKAR...
INFATTI, RADEN. ADESSO VOGLIO ANCHE IL RESTO.

E' TUTTO QUI, NASCOSTO NEI SOTTERRANEI DELLA VILLA.
ANDIAMO, ALLORA! MUOVITI!

INSERISCO IL CODICE...

BEEP
155

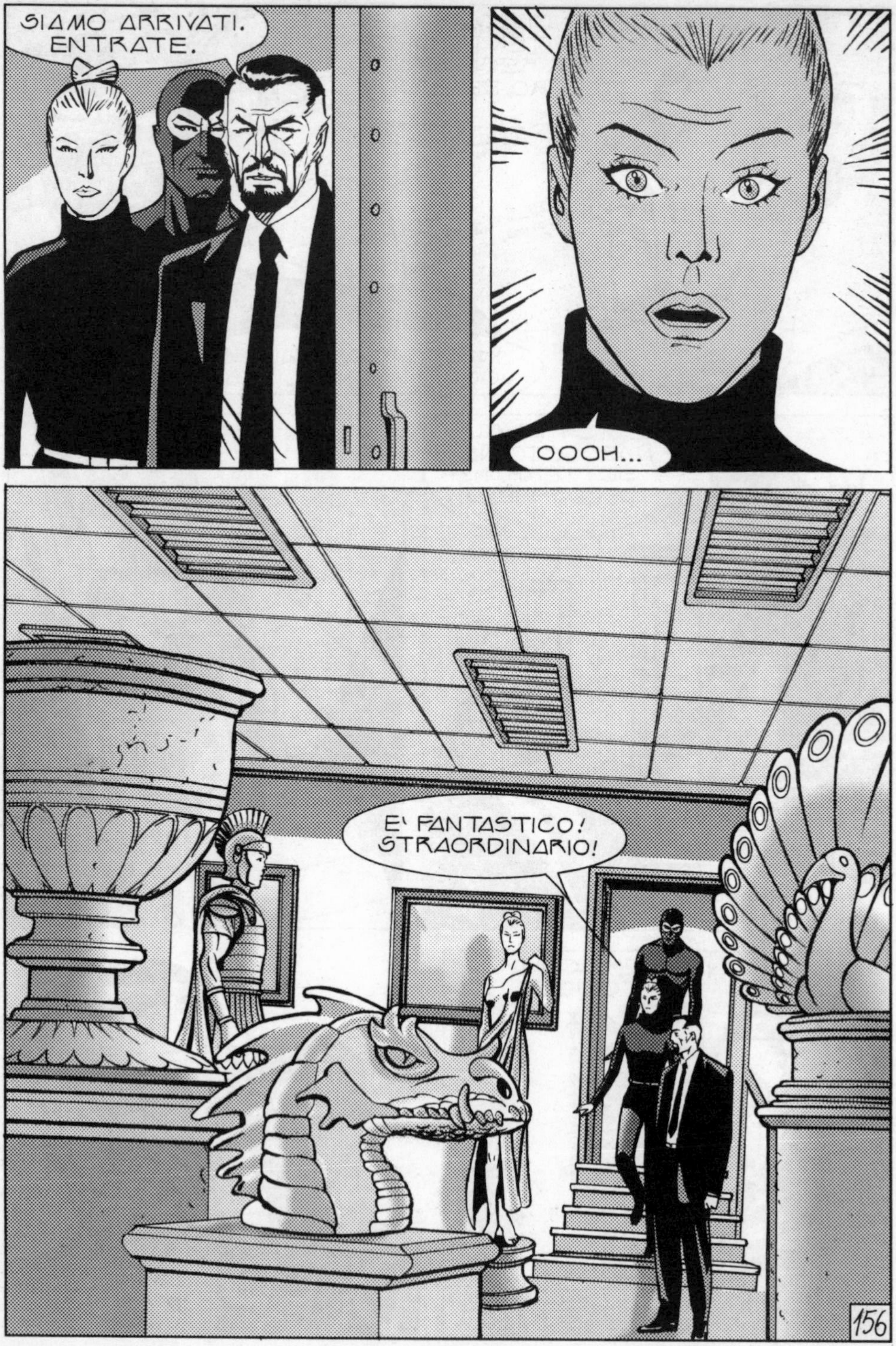

E' FANTASTICO!
STRAORDINARIO!

156

ADESSO RIESCO
A COMPRENDERE MEGLIO
LA TUA SOFFERENZA, QUANDO
HAI PERSO TUTTO QUESTO...

... E IMMAGINO
LA TUA GIOIA, ADESSO.

IO INVECE ASPETTEREI PRIMA
DI CANTARE VITTORIA,
DIABOLIK!

ALLA NOSTRA PARTITA MANCA
ANCORA L'ULTIMA MANO, CHE
SARA' MIA!
COSA INTENDI DIRE,
RADEN?!

AVEVO MESSO IN CONTO CHE
TU UN GIORNO POTESSI ARRI_
VARE FINO A QUI. PERCIO',
ALLESTENDO QUESTA SALA,
HO PREDISPOSTO UNA
ADEGUATA CONTROMISURA.
157

HO DIGITATO UN CODICE PARTICOLARE CHE, OLTRE AD APRIRE LA PORTA, HA ANCHE ATTIVATO UN DISPOSITIVO DI AUTODISTRUZIONE...

FRA POCO, SENTIREMO SUONARE UN ALLARME. SUBITO DOPO CI SARA' UN'ESPLOSIONE, CHE DISTRUGGERA' TUTTO.

MA TU PUOI IMPEDIRLO, VERO?! DEVE ESISTERE UNA **PROCEDURA DI DISATTIVAZIONE!**

OVVIO CHE ESISTE, DIABOLIK! IL PROBLEMA E' CHE, SE TU PROVASSI A COSTRINGERMI A RIVELARTELA, PERDERESTI TROPPO TEMPO...
158

SE VUOI CHE ADESSO IO DISATTIVI IL SISTEMA, DEVI DARMI **LA TUA PAROLA** CHE MI LASCERAI VIVERE!

E IO SO CHE TU NON VIENI **MAI** MENO ALLA PAROLA DATA!

IL TEMPO STA PER SCADERE! CHE COSA HAI DECISO?

QUAL È LA TUA SCELTA, **DIABOLIK?!**
QUESTA...
159

SWIIII

ZACK
AAH!

L'HAI UCCISO! E ADESSO? SE CIO' CHE HA DETTO E' VERO...

ADESSO ANDIAMO, EVA! USCIAMO DA QUI!

EEEEEE
SVELTA! MUOVIAMOCI!
160

CRASH!

162

IL GIORNO DOPO...
LA VILLA E' STATA DEVASTATA DAL FUOCO. MA SIAMO RIUSCITI A ESTRARRE E IDENTIFICARE TUTTE LE VITTIME.

IL CORPO DI MARCO RADEN ERA NEI SOTTERRANEI, VICINO ALL'EPICENTRO DELL'ESPLOSIONE... CHE TUTTAVIA NON SEMBRA ESSERE LA CAUSA DELLA SUA MORTE.

AVEVA QUESTO PUGNALE, PIANTATO NEL PETTO. UNA SPECIE DI FIRMA, ISPETTORE...
GIA'. UNA SPECIE.
EVIDENCE

INOLTRE, SCAVANDO FRA LE MACERIE, SONO STATI TROVATI REPERTI RICONDUCIBILI A DIVERSI CLAMOROSI FURTI AVVENUTI IN PASSATO E ATTRIBUITI A DIABOLIK.
163

E POI,
SOPRATTUTTO,
CI SONO QUELLE...

DUE MASCHERE CHE IL FUOCO NON E' RIUSCITO A DISTRUGGERE COMPLETAMENTE, CON I LINEAMENTI DI UN UOMO E DI UNA DONNA...

ISPETTORE, NON CREDO CHE CI SIANO MOLTI DUBBI RIGUARDO A CHI PUO' AVERLE FABBRICATE E UTILIZZATE.
DIABOLIK... ED EVA KANT!

SONO TORNATI...
164

ALCUNI GIORNI DOPO...
MOTEL

APRITE! SONO IO!

ALLORA, COME E' ANDATA?
165

TUTTO BENE. MI SONO PROCURATO QUEI DOCUMENTI FALSI. E DALLA VENDITA DI UN PAIO DI DIAMANTI PRESI DALLA CORONA MIKOSKY HO RICAVATO IL DENARO CHE CI SERVE.

BRAVO, MICHELE! ORA POSSIAMO PARTIRE... PER FARCI UNA NUOVA VITA, LONTANO!

DANIELA...
NO, SANDRO... E' INUTILE ILLUDERSI! INUTILE E STUPIDO!

NON SAREMO MAI ABBASTANZA LONTANI PER SFUGGIRE A DIABOLIK!
166

UN GIORNO RIUSCIRA' A TROVARCI E FINIREMO ANCHE NOI COME MARCO RADEN... CON UN PUGNALE PIANTATO NEL CUORE!

PRIMA DI AMMAZZARLO, DIABOLIK LO AVRA' CERTAMENTE COSTRETTO A PARLARE! E ADESSO LUI ED EVA KANT SARANNO GIA' SULLE NOSTRE TRACCE!

DANIELA, CALMATI! ANDRA' TUTTO BENE, VEDRAI!
VORREI POTERTI CREDERE, SANDRO! LO VORREI TANTO!

MA ADESSO HO CAPITO CHE ABBIAMO SBAGLIATO. E ORMAI E' TROPPO TARDI. NON CI SONO SPERANZE...
167

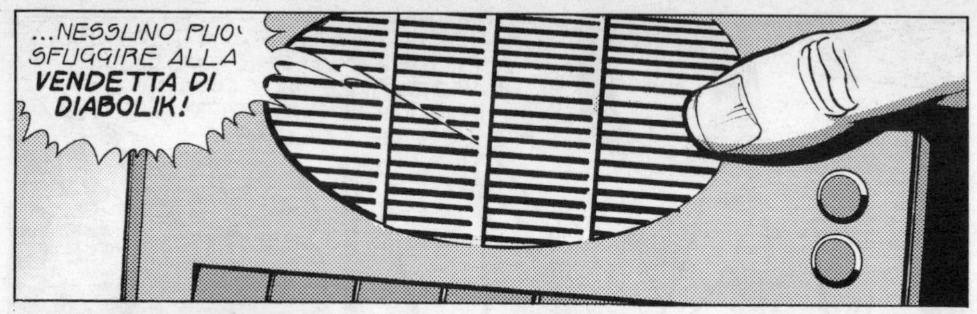
...NESSUNO PUO'
SFUGGIRE ALLA
VENDETTA DI
DIABOLIK!

CLIC

ALLORA, CHE COSA
FACCIAMO?
NIENTE,
EVA.

NON FAREMO
PROPRIO NIENTE.
168

MA COME? LI LASCERAI ANDARE, DOPO QUELLO CHE TI HANNO FATTO?!
SI'. HO DECISO COSI'.

NON SENTO ALCUN BISOGNO DI VENDICARMI A MIA VOLTA. E' TUTTO FINITO.

PER QUALCHE TEMPO, FORSE PER ANNI, LORO VIVRANNO NEL TERRORE. MI BASTA SAPERE QUESTO...

MA IN REALTA', PRIVANDOMI DEL MIO MUSEO, MI HANNO AIUTATO. IN UN CERTO SENSO, DOVREI PERFINO... RINGRAZIARLI.

LA PASSIONE CHE AVEVO PER TUTTI QUEGLI OGGETTI ERA UN PUNTO DEBOLE. E NON HO ALCUN RIMPIANTO DI AVERE LASCIATO CHE VENISSERO DISTRUTTI.
169

QUANDO MARCO RADEN
MI HA RICATTATO, SO DI AVER
FATTO LA SCELTA GIUSTA...
CHE MI HA RESO PIU' FORTE!

CIO' CHE CONTA E' LA SFIDA, PRIMA E DURANTE UN COLPO! MA DOPO NON DEVE ESSERCI SPAZIO PER COMPIACERSENE.
CERTO, HO CAPITO.

NELLA MIA VITA C'E' POSTO SOLTANTO PER POCHI RICORDI...

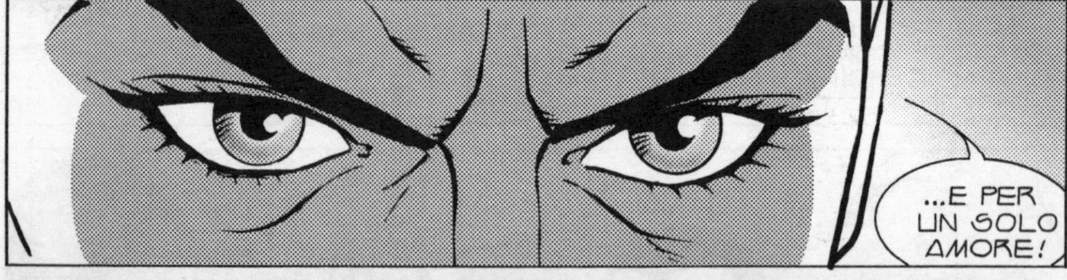
...E PER UN SOLO AMORE!

170

FINE

DIABOLIK

Un vero museo

I lettori più attenti e affezionati avranno riconosciuto, nei disegni di questo episodio, il frutto di molti "storici" colpi di Diabolik, non solo di quelli esplicitamente citati nella storia. Per chi fosse curioso di conoscere come e quando il Re del Terrore si è appropriato di simili bottini, ecco un elenco dettagliato degli albi che hanno raccontato quei memorabili furti.

Prima edizione: 12/06/1967
Diabolik R: 22/02/1982
Diabolik Swiisss: 20/09/2001

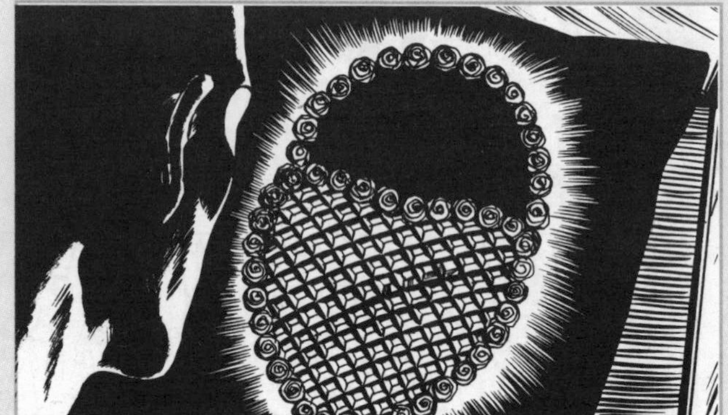

LA COLLANA DELLA REGINA SHIRA

La collana, detta "Il cuore di fuoco", è un gioiello a forma di cuore, tempestato di rubini.
Valore stimato: 250 mila euro.

Prima edizione: 19/02/1968
Diabolik R: 22/11/1982
Diabolik Swiisss: 20/03/2003

LA STATUA DI FEZAN

Idolo orientale, donato da Fezan, principe dello Yana, al Museo di Ghenf; la statua è d'oro, gli occhi sono due smeraldi e tutto il corpo è tempestato di rubini e perle.
Valore stimato: non specificato.

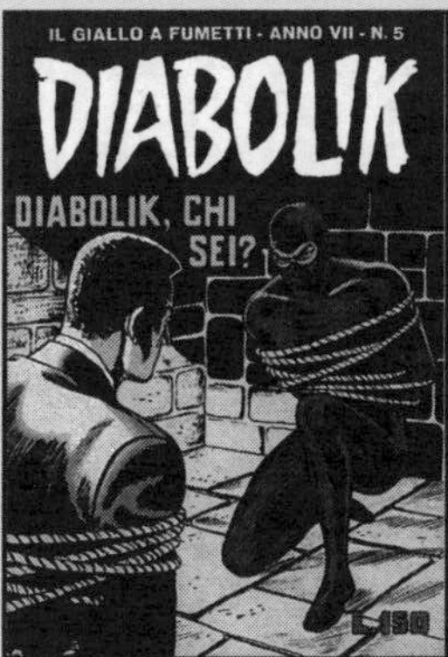

LA PANTERA DI KING

La pantera che terrorizzava l'isola di King fu da lui uccisa e trasformata in trofeo. Il suo nome era Diabolik.
Valore stimato: solo affettivo.

Prima edizione: 04/03/1968
Diabolik R: 13/12/1982
Diabolik Swiisss: 20/04/2003

LA VENERE D'ORO

La statua era conservata nel castello del conte Desten. È in oro e raffigura una Venere che somiglia straordinariamente a Eva.
Valore stimato: non specificato.

Prima edizione: 06/01/1969
Diabolik R: 14/11/1983
Diabolik Swiisss: 20/02/2005

Prima edizione: 05/07/1976
Diabolik R: 24/6/1991

LA STATUA DI GIADA BLU

Statuetta dalle sembianze di uomo a gambe incrociate, di giada blu.
Valore dichiarato: 300 mila euro. In realtà era un falso pagato 10 mila euro.

Prima edizione: 05/03/1979
Diabolik R: 08/11/1993

LA CORONA MIKOSKY

La "Corona Mikosky", appartenente all'omonimo duca, è d'oro e tempestata di pietre preziose e "meravigliose".
Valore stimato: incalcolabile.

IL PAVONE D'ORO

Prima edizione: 15/10/1979
Diabolik R: 06/06/1994

Statua interamente d'oro raffigurante un pavone. La coda a ruota è impreziosita da smeraldi e zaffiri, verdi e blu come i colori delle piume dell'animale.
Valore stimato: 2,5 milioni di euro.

IL BUSTO DELLA PRINCIPESSA

Busto della principessa Shiraz, di proprietà del governo di Naruwa, è in oro (100 chili) tempestato di pietre preziose.
Valore stimato: decine di milioni di euro.

Prima edizione: 01/11/1985
Diabolik R: 17/5/2002

Prima edizione: 01/09/1999

I TRE BUDDA

Di proprietari diversi, i tre Budda sono pezzi di arte orientale con gli occhi di brillanti.
Valore stimato: non specificato.

Prima edizione: 01/05/2002

IL TESORO DI RE AKAR

Appartenente all'antica civiltà dei Leoniti, il tesoro di re Akar è composto da molti monili, diademi e statuette.
Valore stimato: non specificato. Ma un solo pezzo della collezione è valutato "milioni di euro".

IL DRAGO DI GIADA

Pezzo unico, la statuetta è considerata dal collezionista che se ne vuole impossessare una pietra portafortuna.
Valore stimato: 300 mila euro.

Prima edizione: 01/02/2007

IL BOTTINO FANTASMA

Tra i cimeli del "museo" ne appare uno che, per quanto è dato sapere, non dovrebbe essere presente...

...Infatti, anche se Diabolik ha avuto modo di conoscerne l'esistenza, in nessun episodio è sinora apparsa la storia del suo furto. Naturalmente noi non sappiamo tutto ciò che ha fatto il Re del Terrore in questi anni, ed è possibile che abbia preso quell'oggetto ma ancora non sia stato raccontato il colpo relativo.

Ai soggettisti della Astorina piacerebbe sapere quanti, tra i lettori affezionati, sapranno riconoscere "il bottino fantasma" e ricorderanno in quale occasione Diabolik se l'è trovato a portata di mano.

Dobbiamo limitarci a dirvi che un vago indizio sta nell'illustrazione di questo testo e la soluzione sarà pubblicata sul diaboliko sito. I solutori del mistero possono scrivere a *www.diabolik.it*: non vinceranno nulla (questo NON è un concorso a premi!) ma la redazione Astorina li annovererà nella riservatissima lista dei lettori più attenti.

DIABOLIK d'Annata

La collezione completa di una intera annata di Diabolik raccolta in un elegante cofanetto serigrafato e proposta a un prezzo eccezionale!

ANNATE DISPONIBILI:

DIABOLIK: 1997 - 1998 - 1999 - 2000 - 2001- 2002 - 2003 - 2004 - 2005 - 2006 - 2007

DIABOLIK R: N. 401/412 - 413/424 - 425/436 - 437/448 - 449/460 - 461/472 - 473/484 - 485/496 - 497/508 - 509/520 - 521/532 - 533/544 - 545/556

DIABOLIK SWIISSS: N° 1/12 - 13/24 - 25/36 - 37/48 - 49/60 - 61/72 - 73/84 - 85/96- 97/108 - 109/120 - 121/132 - 133/144 - 145/156 - 157/168

ATTENZIONE: IL TEMPO DI CONSEGNA MEDIO È DI 45 GIORNI

Per ricevere le annate inviate € 21,00 cadauna a:
Astorina s.r.l. Via Boccaccio, 32 - 20123 Milano.
Nella causale del versamento, specificate il titolo, scrivete in stampatello il vostro indirizzo completo di via, numero civico e codice postale.
Inviate l'importo con vaglia postale o versatelo sul conto corrente postale **n. 20724209**
(non si spedisce contrassegno e non si accettano valori bollati).
Pagamento bonifico bancario su BANCOPOSTA - IBAN IT37Z0760101600000020724209
(BIC/SWIFT BPPIITRRXXX per pagamenti esteri)
Per richiedere i cofanetti all'ESTERO, contattare Ufficio Arretrati:
Tel. +39 02 4815318 - dk1962@astorina.it

Il Re del Terrore: il Remake

160 pagine di grande formato, copertina cartonata con l'inserimento di un'immagine "lenticolare"
Nelle librerie specializzate o direttamente a casa vostra* a € 30,00

Eva Kant. Quando Diabolik non c'era

192 pagine di grande formato, copertina cartonata con l'inserimento di un'immagine tridimensionale
Nelle librerie specializzate o direttamente a casa vostra* a € 31,00

Diabolik. Visto da lontano

168 pagine di grande formato, copertina cartonata, 12 storie a fumetti inedite
Nelle librerie specializzate o direttamente a casa vostra* a € 33,00

Ginko. Prima di Diabolik

208 pagine di grande formato, copertina cartonata con l'inserimento di un'immagine "lenticolare"
Nelle librerie specializzate o direttamente a casa vostra* a € 32,00

* Richiedete i volumi a:
Astorina s.r.l. Via Boccaccio, 32 - 20123 Milano.
Nella causale del versamento, specificate il titolo, scrivete in stampatello il vostro indirizzo completo di via, numero civico e codice postale.
Inviate l'importo con vaglia postale o versatelo sul conto corrente postale **n. 20724209**
(non si spedisce contrassegno e non si accettano valori bollati).
Pagamento bonifico bancario su BANCOPOSTA - IBAN IT37Z0760101600000020724209
(BIC/SWIFT BPPIITRRXXX per pagamenti esteri)
Per richiedere gli arretrati all'ESTERO, contattare Ufficio Arretrati:
Tel. +39 02 4815318 - dk1962@astorina.it

altre informazioni nel "rifugio internet" di Diabolik: www.diabolik.it
ATTENZIONE: IL TEMPO DI CONSEGNA MEDIO È DI 45 GIORNI.

EVA KANT
CONTRO
L'ABBANDONO
DEGLI ANIMALI
CHI ABBANDONA UN AMICO ABBANDONA UN TESORO.
IO NON LO FAREI MAI!

Potete ricevere i numeri arretrati del GRANDE DIABOLIK inviando
€ 4,90 per ciascun numero + € 5,40 per spese di spedizione per l'ITALIA a:
Astorina s.r.l. Via Boccaccio, 32 - 20123 Milano.
NB: IL COSTO DELLA SPEDIZIONE È FISSO A € 5,40 ANCHE PER L'INVIO DI PIÙ NUMERI.
Nella causale del versamento, specificate il titolo, scrivete in stampatello il vostro indirizzo completo di via, numero civico e codice postale. Inviate l'importo con vaglia postale o versatelo sul conto corrente postale n. 20724209 (non si spedisce contrassegno e non si accettano valori bollati).
Pagamento bonifico bancario su BANCOPOSTA - IBAN IT37Z0760101600000020724209
(BIC/SWIFT BPPIITRRXXX per pagamenti esteri)
Per richiedere gli arretrati all'ESTERO, contattare Ufficio Arretrati: Tel. +39 02 4815318 - dk1962@astorina.it
I titoli non citati sono esauriti.

I NUMERI DISPONIBILI SONO:

- LA VENDETTA HA LA MEMORIA LUNGA *(1998)*
- EVA MORIRÀ TRA SESSANTA SECONDI *(1999)*
- DIABOLIK E GINKO: TEMPESTA DI RICORDI *(2000)*
- IL NEMICO RITROVATO *(2001)*
- MATRIMONIO IN NERO *(2002)*
- EVA KANT. QUANDO DIABOLIK NON C'ERA *(2003)*
- PER LA TESTA DI DIABOLIK *(2003)*
- IL RE DEL TERRORE: IL REMAKE *(I-2004)*
- L'OMBRA DEL GIUSTIZIERE *(II-2004)*
- GINKO. PRIMA DI DIABOLIK *(1-2005)*
- QUINDICI MINUTI PER MORIRE *(2-2005)*
- GLI ANNI PERDUTI NEL SANGUE *(1-2006)*
- IL VOLTO DELL'ODIO *(2-2006)*
- I MISTERI DI VALLENBERG *(1-20*
- DIABOLIK CONTRO EVA *(2-20*
- GLI OCCHI DELLA PANTERA
- UN KILLER PER GIN
- IO SON

altre informazioni nel "rifugio internet"

ATTENZIONE: IL TEMPO DI CONSEGNA ME

il grande

DIABOLIK

CREATO NEL 1962 DA ANGELA E LUCIANA GIUSSANI

Pubblicazione mensile
Astorina S.r.l.

Direzione Generale
Mario Gomboli
Direttore Responsabile
Mario Gomboli
Assistente alla direzione
Alessandra Mangalaviti
Art Director
Raffaela Busia
Supervisione soggetti e sceneggiature
Licia Ferraresi
Editing
Andrea Pasini
Servizio arretrati
Maria Pezzolla

www.diabolik.it
a cura di Licia Ferraresi
realizzato da Globalmedia

SOMMARIO

IL GRANDE DIABOLIK - 2/2009 15 luglio 2009

Questo periodico è associato all'Unione Stampa Periodica Italiana

...lano n. 341 del 13/5/1998 • Stampa e copertina: Rotolito Lombarda - ...P. "Angelo Patuzzi" S.p.A. - Via Bettola, 18 - 20092 Cinisello Balsamo ... Balsamo (MI).